북한, 비핵화와
시장지향적 개혁·개방을 통한
동태적 경제발전

2017년

방 찬 영

경제학박사
키맵대학교 총장
카자흐스탄 대통령 나자르바예프 전 경제고문
경제전문위원회 부위원장

서 문

이 책을 발간하게 된 경위는 저자의 이름으로 이미 출간된「북한의 비핵화를 위한 전략적 구상과 정책방안, 2017.8.7」,「북한의 비핵화와 시장지향적 개혁 · 개방을 통한 동태적 지속적 경제발전, 2017.8.25」, 그리고「김정은 위원장의 위대한 도전, 2017.8.19」등 세권의 책에 담긴 내용을 하나로 묶어서 '묻고 답하기' 형식으로 엮어 일반 독자들에게 소개하는데 있다.

필자가 어떻게 하면 북한의 비핵화를 평화적으로 달성하고 화해와 협력을 통한 남북한 공동의 동태적 경제발전을 이룩할 수 있을까? 하는 명제를 연구제목으로 채택하고 집중적으로 이 문제를 다루게 된 것은 2015년 봄으로 거슬러 올라간다. 필자는 2015년 봄, 평양의 모 기관으로부터 "북한의 동태적 경제발전" 이란 주제로 강연하도록 초청을 받게 된데서 비롯된다.

필자가 수행한 연구의 전개과정을 크게 다음 세 가지로 요약된다.

첫째, 어떻게 하면 북한이 핵을 폐기하고 시장지향적 개혁 · 개방을 통한 동태적 지속적 경제성장을 이룩할 수 있을까하는 점을 다루는데 있었다. 즉 북한이 핵을 포기하고 핵 없는 국가로 생존할 수 있는 생존전략을 모색하고 제시하는 하는데 연구의 목적이 있었다.

둘째, 문재인 대통령이 6자회담의 틀을 통해 북한의 비핵화를 평화적으로 이룩하고 화해와 협력을 통한 남북한 공동의 경제발전을 달성하기 위해서는 어떤 객관적 전략적 구상과 정책방안이 요구되는지를 타진하는데 있었다.

셋째, 5자관여국들이 북한의 비핵화를 평화적으로 해결하고 성실히 이행할 공동의 비핵화 정책안을 모색하고 제시하는데 있다.

이 저서가 북한의 비핵화를 평화적으로 달성하고 평화와 협력을 통한 남북한 공동의 경제발전을 이룩하는데 긍정적으로 기여하게 되기를 진심으로 바란다.

이 책의 서평을 써주신 중앙일보 김영희대기자와 '김정은 위원장의 위대한 도전'의 서평을 써주신 양승함 전연세대 교수, '북한의 비핵화와 시장지향적 개혁·개방을 통한 동태적 지속적 경제발전'의 서평을 써주신 박순성 교수(동국대 북한학과)에게 심심한 감사의 뜻을 표한다.
교정과 뒷바라지를 해주신 양승용 원장, 이 책의 기획과 편집을 맡아주신 이희숙 대표, 최현희 과장, 출판을 맡아주신 박승합 대표께 감사의 마음을 전한다.

끝으로 시종일관 온갖 정성으로 필자를 응원하고 보살펴준 나의 처에게 심심한 감사를 표한다. 만약 그의 헌신적 내조가 없었다면 결코 이 책은 햇빛을 보지 못했을 것이다.

2017. 8. 24

한반도 사태를 보는 방찬영의 원근법
우리가 못 보는 것을 그는 본다

김 영 희
중앙일보 국제문제 대기자

　방찬영 KIMEP대학 총장은 한국인으로서 그 누구도 꿈도 꾸지 못할 경력의 소유자다. 샌프란시스코대학 경제학 교수 시절이던 1970년대 부터 그는 북한과 소련을 드나들면서 사회주의 경제체제의 속사정과 본질을 면밀히 살피고, 귀를 기울이는 그 나라 정부와 당 관계자들에게는 조심스럽게 자본주의 시장경제의 ABC를 설명했다.

　고르바초프가 페레스트로이카라는 이름의 개혁을 추진하던 89년 말에서 91년 초 방찬영 총장의 공산권 체험은 결실을 맺기 시작했다. 그는 "역사상 사회주의체제를 가지고 경제발전에 성공한 나라는 없다"고 경제학자로서의 확신을 가지고 고르바초프의 경제개혁의 자문역할을 했다.

　그러나 시대는 그에게 훨씬 더 큰 역사적인 역할을 준비하고 있었다. 고르바초프 개혁의 실패로 소련연방체제가 무너지고 소련연방은 15개 독립국가로 분리됐다. 그 느슨한 협의체가 CIS다. 고르바초프는 방찬영 총장을 분리 독립된 카자흐스탄공화국 대통령 나자르바예프의 경제고문으로 소개했다. 카자흐스탄은 CIS 15개국 중에서 러시아 다음으로 광물자원, 그 중에서도 석유가 많은 나라다. 방찬영은 풍부한 오일달러를 가진 카자흐스탄의 경제를 시장화하는 작업에 성공했다. 그는 나자르바예프 대통령이 가장 신임하는 측근이 되었다. 시장경제의 "시"자도 모르는 사람들에게 시장경제의 원리부터 실천을 가르치는 것은 쉬운 일이 아니었다. 그러나 집념의 사나이 방찬영은 그것을 해내어 카자흐스탄을 CIS에서 가장 부유한 나라로 만드는 일등공신이 되었다.

나자르바예프 대통령은 러시아인들이 많은 수도 알마티를 피해 황량한 벌판 아스타나에 새 수도를 건설하는 대형 프로젝트도 주변의 카자흐인들은 모두 제쳐두고 방찬영 총장에게 전권을 주고 맡겼다. 땅 투기로 억만금을 벌 수 있는 자리였다. 그러나 그는 주위의 압력과 유혹을 떨쳐버리고 카자흐스탄 북부에 아스타나라는 새로운 수도를 말끔하게 건설했다.

수도 아스타나 건설에 대한 보상으로 나자르바예프 대통령이 방찬영 총장에게 준 것이 폐가에 가까운 알마티의 공산당 학교였다. 나자르바예프 대통령은 "마음대로 개조해서 모범적인 학교를 만들어보세요"라고만 요구했다. 방찬영 총장은 군대 막사같은 옛 공산당 학교에 많은 돈과 땀을 투자했다. 돈은 주로 물류, 보일러, 가구를 포함한 몇개의 사업체를 운영하는 부인의 것이었다.

오늘날 KIMEP대학교는 CIS의 유일한 신흥 명문대학으로 성장했다. 세계적으로 우수한 학생들이 KIMEP대학교로 몰려든다. 모든 과목을 영어로 강의하고, 학부 졸업생의 취업율은 95%가 넘는다. 직장도 젊은이들이 선호하는 외국계 업체가 대부분이다. 각자 본국으로 돌아가서 관리가 된 졸업생들은 자국뿐만 아니라 글로벌 엘리트로서 미래를 준비할 것이다. 방찬영 총장은 CIS 각국에서 20명씩의 장학생을 선발하여 KIMEP대학교에서 교육시킨다. KIMEP대학교 교수진은 예외없이 외국에서 박사학위를 받은 사람들로 짜여졌다. 그들의 연봉은 $7만~8만 이상으로 미국의 어느 대학 교수의 연봉보다 낮지가 않다. KIMEP대학교는 학교 운영만으로 흑자를 낸다. 놀라운 일이다.

방찬영 총장은 이제는 한반도의 위기 해소, 평화 정착, 궁극적으로는 통일에 관심을 쏟고 있다. 무엇보다도 그는 북한이 어떻게 하면 시장경제로 전환할 수 있을까를 연구한다. 그는 김정은이 핵을 포기하는 순간 할아버지대로부터 내려오는 정통성이 사라져 체제붕괴의 위험에 노출된다고 믿는다. 그것이 김정은이 핵을 포기할 수 없는 이유라는 것이다. 그래서 그는 6자 회담이 되든 북미회담이 되든 북한문제 해결에서 사활적으로 중요한 것은 핵 포기 즉시 경제적 고도성장이 시작되도록 하는 장치 또는 순서(sequence)가 필요하다고 생각한다. 그의 생각을 담아 책자로 펴낸 것이 "김정은 위원장의 위대한 도전"이다. 그는 이 책이 김정은에게 전달되기를 바라면서 썼다.

방찬영 총장의 생각은 북한의 핵무기 개발 프로그램의 발단은 국가의 공식 통치이념을 반영하고 구체화된 적대적 정책의 소산이라는 점을 강조한다. "주체사상이 국가의 공식 지도이념으로 남아있다면 남북화해와 우호에 기초한 경제협력은 불가능합니다. 북한이 경제현대화를 이룩하기 위해서는 유훈통치의 굴레에서 벗어나야 합니다. 그래야 비로소 소수 엘리트 계층의 복지를 위해 다수의 인민이 희생되고 착취되는 체제로부터 탈피할 수 있을 것입니다." 김정은 3대 세습체제 정당성의 문제, 유훈통치의 굴레가 북한 핵과 미사일 문제 해결의 발목을 잡고 있다는 방찬영 총장의 진단은 우리 모두가 동의하는 것이다.

방 총장의 책에는 핵과 미사일 문제의 포괄적인 해결, 북한 김정은체제가 정통성을 유지하면서 경제 시스템을 서서히 시장경제로 전환해야 하는 이유와 그 방안, 그리고 한반도에서 제2의 한국전쟁을 방지하기 위해서 한국, 미국, 일본, 북한 그리고 중국과 러시아가 담당하지 않으면 안되는 역할이 담겨있다. 한국에 사는 우리가 개개의 나무밖에 보지 못한다. 그러나 방 총장은 일정한 거리를 두고 한반도 사태라는 숲 전체를 보는 원근법을 가졌다. 그것이 그의 강점이고, 그것이 우리가 그의 말을 경청해야 하는 이유이기도 하다.

방찬영 총장은 문재인 대통령과 트럼프 대통령에게도 정책건의서를 책자 형식으로 발행하여 청와대와 백악관으로 보냈다. 그는 몸은 주로 카자흐스탄에 있어도 조국의 안보위기는 그의 머리속을 떠나지 않는다. 그가 발신하는 평화 메시지가 서울과 워싱턴과 평양에서 큰 메아리로 울리기를 간절히 바란다.

2017. 8. 23.

북핵 딜레마의 영원한 해결
『김정은 위원장의 위대한 도전』에 관한 서평

양 승 함
전 연세대 정치외교학과 교수

필자가 1994년 카자흐스탄 사회과학원과 시장경제화 관련 학술교류를 했을 때 카자흐스탄 국립박물관을 방문한 적이 있다. 그때 박물관 입구 전시대에 커다란 한국인 사진이 걸려있어 놀랐다. 나자르바예프 카자흐스탄 대통령 사진 옆에 걸렸던 것으로 기억한다. 며칠 후 영광스럽게도 그 영광스러운 분의 집에 초대되었다. 티엔산(天山) 산자락에 고즈넉이 자리 잡은 카자흐스탄 현대식 주택의 주인이 바로 이 책의 저자인 방찬영 총장이었다. 당시 카자흐스탄 대통령 경제고문으로서 카자흐스탄의 시장경제화 과정을 주도하던 이야기를 매우 흥미롭게 들었다. 그로부터 22년이 지난 2016년 10월 방찬영 총장이 주최하는 북한 관련 국제학술회의에 초청되어 참석했는데 총장께서 필자를 기억하고 초청한 것은 아니었다. 22년 만에 방문한 카자흐스탄의 수도 알마티는 천지개벽 그 자체였다.

김정은 위원장의 위대한 도전은 저자가 평양에서 연설하게 될 강연 요지이자 "북한의 시장지향적 개혁·개방을 통한 동태적·지속적 경제성장을 위한 전략적 구상과 정책방안을 부제를 달고 있다. 북한의 핵과 미사일 문제로 북·미간의 치킨게임이 한창인 지금 한국의 안보 딜레마를 극복하기 위한 궁극적 해법을 제시하고 있는 책이다. 지난 7월 4일과 28일 북한이 미국 본토를 타격할 수 있는 대륙간 탄도미사일(ICBM)을 시험 발사한 이후 북한과 미국은 극한의 공격적인 설전을 벌이며 군사적 도발과 대응 그리고 전쟁도 불사하겠다는 의지를 보였다. 북한은 "괌 포위사격," 트럼프 미국 대통령은 "군사 옵션 장전" 발언 등으로 한반도 8월 위기설을 한껏 증폭시켰다. 문재인 대통령은 8·15 경축사에서 "전쟁불가론"을 강조했지만 전쟁을 억지할만한 뾰족한 수단을 갖고 있지 못하다. 다행히도 8월 하순 들어서면서 북·미간의 충동적인 언사는 줄어들고 대화를 모색하는 회유적 수사가 증가하고 있다. 그러나 그럼에도 불구하고 한반도의 위기는 상수적인 변수가 되어버린 상황임에는 틀림없다. 이 책은 전쟁 촉발의 위기상황에서 북한이 핵무기를 포기하고 통치체제를 유지할 수 있는 대안으로 경제현대화를 제시하고 있으며, 궁극적으로 북한과 남한이 윈·윈하고 나아가 평화적 통일을 이룩할 수 있는 방안을 암시하고 있다고 할 수 있다.

이 책은 김정은 위원장이 미국과의 핵전쟁으로 파멸에 이르고 한반도에 대재앙을 가져오게 될 위기상황을 미연에 방지할 수 있는 전략을 제시하고 있다. 아울러 문재인 정부가 한반도 비핵화를 위한 대화와 협상을 개시할 수 있는 대책도 제시하고 있다. 문재인 대통령의 베를린 구상에 아무런 응답 없이 미사일 도발만을 일삼는 북한과의 교착상태를 벗어날 수 있는 돌파구를 제안하고 있는 것이다. 대규모 경제지원을 통한 북한의 시장경제화와 체제개혁을 도모함으로써 북한이 비핵화를 할 수 있는 명분을 제시하고 있다. 북한이 선군정치와 핵무장을 지속하여 체제안보를 위한다는 것이 오히려 체제붕괴로 필연적으로 이어질 것이며 사회주의 경제발전은 자체의 모순으로 인해 실현이 불가능하다고 주장하고 있다. 시장경제적 개혁·개방정책만이 체제유지를 위한 유일한 길이라는 것이다. 이와 같은 논리는 저자가 사회주의체제였던 카자흐스탄의 체제전환

과정에 직접 참여하고 현장을 주도했던 경험에서 비롯된 것이기 때문에 더욱 설득력이 있다. 정치체제와 경제체제의 개혁을 동시에 추진했던 나자르바예프 내통령이 어전히 집권하고 있는 것을 보면 김정은에게도 동기부여가 될 수 있다고 보여진다.

이 책의 본문은 북한의 시장경제화의 필요성과 시장경제화에 따른 부작용 제거 방안 그리고 시장경제화를 성공적으로 이끌 수 있는 대내외적 조건들에 대해서 논하고 있다. 시장경제의 필요성은 사회주의 경제체제는 생산성과 효율성의 한계로 경제현대화를 달성할 수 없기 때문에 정치개혁을 동반한 시장경제적 개혁·개방정책을 추구해야 한다는 사실에 기인한다.

저자는 고르바초프와 두 차례 면담한 내용을 소개하면서 사회주의체제 내에서 개혁으로는 실패할 것이며 체제개혁의 필요성을 조언했다고 한다. 성공 사례로는 중국 개혁을 들고있다. 덩샤오핑은 경제개혁이 부진한 것은 정치개혁이 이뤄지지 않았기 때문이라고 간파하고 흑묘백묘론을 들고나와 "당이 나서서 먼저 몇몇 사람들이 부자가 되게 하라"고 지시했다는 것이다. 이것은 사회주의 경제체제가 국가발전 패러다임으로서의 적실성을 상실했다는 것을 의미한다고 할 수 있다. 북한이 시장경제화 정책 추진을 주저하는 주요 이유는 그에 따른 부작용 때문이라는 것이다. 북한의 실상이 대내외적으로 알려지면서 북한 최고존엄의 정통성이 위태로워지고 내적 혼란이 야기될 것이라는 것이다. 따라서 북한의 개혁 개방을 성공적으로 이끌기 위해서 모두 13개의 대내외적 필수 조건을 제시하고 있다.

먼저 대외적 조건 4가지를 살펴보면,

1) 남북한 간의 평회협정을 체결한 후 항후 10년간 연 100억 달러씩 총 3,000

억 원의 경제개발기금을 제공함으로써 북한 경제현대화를 뒷받침한다는 것이다. 경제개발기금의 대부분은 남한이 제공하며 남한의 기업들이 사회기반사업에 참여한다는 계획이다.

2) 북·미가 수교하고 유엔 제재조치 등 대북제재를 철회하는 것이다. 미국의 체제보장과 대북제재 해제를 통해서 북한의 개혁 개방정책을 성공적으로 도모할 수 있다는 것이다.

3) 북·일 수교와 일본의 식민지 보상금 지급이다. 한국에 지급한 보상금이 당시 5억 달러였는데 현재 가격으로 100억 내지 200억 달러에 달하는 것으로 추산하고 있다.

4) 중국과 러시아는 북한의 비핵화와 관련국들 간의 협약을 준수·이행하도록 협조하고 관장한다는 것이다.

다음으로는 9개의 대내적 필수조건을 제시하고 있다.

1) 시장경제화를 주도할 전문위원회 설치를 주장하고 있다. 사안의 주요성을 고려하여 최고 통치자를 위원장으로 하고 부위원장을 대내외 인사 각 1인씩 임명하고 위원은 사유화와 시장경제 전문가로 구성한다는 것이다.

2) 연평균 12%의 경제성장을 목표로하여 북한 주민들이 경제개혁의 성과를 체감하도록 한다는 것이다. 이로써 북한정권의 정통성을 유지하며 정치개혁 동시에 실시할 수 있는 여건을 마련한다는 것이다.

3) 낙후된 기간설비 건설은 경제 생산성과 효율성 증대를 위해 필수적이다.

4) 경제특구를 운영하여 외국 자본과 기술의 도입을 촉진한다.

5) 농산업의 진흥을 도모한다. 농업을 활성화시켜 부족한 식량을 제공하며 농업의 기술화로 발생하는 유휴 노동력을 산업에 투입한다.

6) 선군정치를 포기하도록 한다. 북한 GDP의 25%가 국방비로 들어가는 한 경제현대화를 이룰 수 없음은 자명하다는 것이다.

7) 당과 군 핵심 관료들의 적극 참여를 유도해야 한다. 북한의 관료주의체제는 뿌리가 깊고 사회를 실질적으로 통제하기 때문에 이들의 참여 없이는 시장경제화의 성공을 담보할 수 없다는 것이다.

8) 사회보장제도를 실시한다. 이미 배급제도가 무너진 북한의 시장경제화는 수많은 절대 빈곤자들이 양산될 것이기 때문에 이들에 대한 복지제도가 필요하다는 것이다.

9) 끝으로 인적 자원의 개발을 통해 시장경제화의 역군을 양성한다는 것이다.

저자는 세계역사를 통틀어 폐쇄정책 하에서 현대화를 달성한 국가는 단 하나도 없다고 주장한다. 사실 모두 몰락, 붕괴, 멸망의 길을 걸었다. 그리고 체제개혁과 경제 현대화는 불가분의 관계에 있기 때문에 정치개혁 없이는 시장경제적 체제개혁은 불가능하다고 믿고 있다. 대단히 창의적이고 논리적이 전개가 돋보인다. 김정은 위원장이 이상과 같은 논리에 설득된다면 한반도의 평화와 통일은 보장될 것이다. 꿈같은 날이 과연 올 것인가 하는 의구심이 드는 것은 사실이다. 그러나 꿈이 없으면 미래도 없다. 꿈의 현실화를 위해 과감하고 적극적으로 대처할 필요가 있다는 것을 이 책을 읽으면서 느꼈다. 그렇지 않으면 다가오는 위기를 앉아서 당하는 꼴을 면하지 못하게 될지도 모른다.

2017. 8. 21.

방찬영, 「Ⅲ. 북한의 비핵화와 시장지향적 개혁·개방을 통한 지속적, 동태적 경제현대화」

박 순 성

동국대학교 북한학과 교수

　1980년대 후반부터 시작된 세계적 차원의 냉전체제 붕괴는 분단된 남북한 사이에도 평화와 협력을 가져오는 것처럼 보였으나, 한반도는 1990년대 초반 아주 짧은 긴장 완화와 협력 모색의 시기만을 거친 뒤 곧 바로 새로운 안보위기에 다시 직면하게 되었다. 한편에는 북한의 핵무기 개발이, 다른 한편에는 경제위기에 따른 북한체제의 불안정화가 한반도−동북아의 탈냉전적 질서 재편과 결합되어 한반도에서 새로운 형태의 안보위기를 불러일으킨 것이다.

　이러한 복합적 안보위기는 1990년대 중반부터 2000년대 중반 사이에 몇 번의 긴장 고조에도 불구하고 근본적 해결의 가능성을 보여주는 듯했으나, 2000년대 후반부터는 더욱 심각한 양상으로 발전하였다. 거의 사반세기에 걸쳐 진화해온 한반도 안보위기는 2017년 8월 현재 북한의 핵무기 및 미사일 개발이 실질적 완성단계에 거의 도달함에 따라 파국적 상황이 임박한 것처럼 보인다.

　이처럼 한반도 안보위기가 진화하고 심화되는 상황에서 우리는 무엇을 해야 하는가? 너무나 당연하게도, 우리는 변화하는 상황에 맞춘 새로운 전략과 정책 구상을 모색하고, 유연하고 효율적인 정책 집행과 전술을 추진해야만 할 것이다. 그렇지만, 위기가 지속되면서도 기본 구조가 바뀌지 않고 있다면, 발상의 전환이 필요하다. 오히려 역설적으로, 현재 우리에게 필요한 것은 위기의 출발점으로 돌아가서 위기의 본질을 새롭게 파악하고 그에 적설하게 늘어맞는 성적 대안을 찾아내어 용기와 끈기를 가지고 추진하는 일이다.

바로 이러한 관점에서, 한반도 평화와 한민족 통일을 위한 키맵대학교(KIMEP University) 방찬영 총장의 정책 제안에 주목할 필요가 있다. 1990년대 초반 카자흐스탄공화국의 개혁 · 개방 과정에 직접 참여하고 북한과도 정책적 교류를 가졌던 자신의 경험에 바탕을 두고, 방 총장은 매우 체계적인 정책구상을 세 부분으로 나누어 제시하고 있다. 「북한의 비핵화와 시장지향적 개혁 · 개방을 통한 지속적, 동태적 경제 현대화」는 그의 정책구상에서 세 번째 부분이다.

방 총장이 서론에서 분명하게 밝히고 있듯이, 제안되고 있는 정책의 핵심목표는 북한 비핵화의 평화적 달성, 북한의 시장지향적 개혁 · 개방 실현, 남북한과 동북아 공동의 지속적이고 동태적인 경제발전 등이다. 방 총장은 이러한 세 가지 목표를 동시에 달성할 수 있는 '객관적이고 합리적인 대북정책'으로서, 북한의 핵 포기와 체제개혁 · 개방을 한편으로 하고, 관련국들의 경제적 보상과 체제안전보장을 다른 한편으로 포괄적이고 일괄적인 타협안의 채택 · 추진을 제시한다. 대북정책을 둘러싸고 오랫동안 진행되어온 논쟁들과 그동안의 정책 실패들에서, 그리고 1994년 10월의 북 · 미 제네바 기본합의와 2005년 9월의 6자 회담 공동성명에서, 우리는 방 총장의 정책제안이 갖는 합리적 근거와 현실적 성격을 확인할 수 있다.

'포괄적 · 일괄적 타협'이라는 개념이 한반도 안보위기 해소와 관련하여 잘 알려진 '오래된 실천적 지혜'임을 부정할 수는 없지만, 방 총장의 제안에는 주목할만한 새로운 요소들이 존재한다. 무엇보다도 그의 제안은 철저하게 현실주의적 분석에 기초하고 있으면서도 결코 어느 일방의 관점에 매몰되지 않음으로써 현실성을 확보하고 있다. 그는 북한의 핵 개발 프로그램이 갖는 의미를 북한 지도부의 관점에서 분석하면서도, 핵 개발 프로그램이 북한체제 자체에 가져올 부정적 결과를 놓치지 않고 있다. 또한 그는 미국을 중심으로 한 관련국들의 대북제재와 압박이 가져올 실질적 효과(특히, 5절에 제시되어 있는, 북한체제 불안정과 관련한 자세하고 엄밀한 분석에 주목할 필요가 있다)와 함께 부정적 전망도 명확하게 제시한다.

북한과 관련국들이 각각 직면할 수밖에 없는 딜레마적 상황에 대한 현실주의적 분석은 자연스럽게 타협안의 핵심 요소로서 이익의 균형을 강조하도록 만든다. 이익의 균형에서 가장 중요한 주체는 역시 북한이다. 북한의 입장에서 볼 때, "핵 개발에 따른 관여국들의 제재로 발생한 사회적, 경제적 난관과 위기를 완화하고 해소하는" 것만으로는 이익의 균형이 맞추어진 것이 아니다. 타협을 위해서는 '핵 포기에 대한 경제적 보상'과 '김정은 통치체제의 안보에 대한 제도적 보장'이 반드시 북한에게 제공되어야 한다. 왜냐하면, "(경제적 보상과 체제 안전보장을 통해서만 가능한) 북한의 경제 현대화를 이룩하기 위한 전략적 일환으로 이루어진 거래가 아닐 경우 북한체제가 내포하고 있는 체제 정당성을 위협하는 불안정 요인들이 그대로 남아있게" 되기 때문이다. 당연히 이러한 제공에 대응하여 북한은 '정치개혁을 통한 국가 통치체제의 변화'와 '시장지향적 개혁·개방 시행'을 약속하고 추진해야 한다. 요약하자면, "북한의 긍정적 변화를 수반하지 않는 비핵화만으로는 협력과 화해에 기초한 평화공존이 성사될 수 없으며", "반대로, 북한의 긍정적 변화는 북한과 5자 관여국들 간의 제반협력과 긍정적 변화를 가능하게 하는 지원 없이는 성립될 수 없다(이와 관련해서 6절에 제시된 개혁 · 개방과 관련한 정책목록을 반드시 검토해야 한다)."

이러한 제안은 결국 현재 한반도-동북아 안보위기와 관련되어 있는 국가들 모두의 근본적인 인식변화를 요구한다. 현실주의적 관점에서 타협은, 타협을 통한 평화는 어느 한쪽의 일방적 양보를 통해서는 결코 이루어지지 않는다. 관련국들 모두의 일정한 양보에 의해서만, 이익의 균형을 통해서만 합의가 도출될 수 있다. '압박과 제재'와 '강압적 대응'의 충돌은 한반도에 재앙을 가져올 뿐이다. 또한 양보를 통해 이루어진 "상호 협정(agreement)은 유효기간을 최소한 10년으로 정해야 한다." "비핵화 과정도 시간을 요하지만 시장지향적 개혁 · 개방을 통한 현대화 과정도 시간을 요한다."

방 총장의 정책제안에서 결코 놓치지 않아야 할 요소들 중 하나는 북한의 체제안전 보장과 관련한 내용이다. "북 · 미 간의 관계정상화에 따른 북 · 미 조약 및 남 · 북 평화조약 체결"이 이루어져야 할 뿐만 아니라, 관련국들은 "북 · 중 동맹 및 북 · 러 동맹을 재확인해야 한다". 우리는 바로 이 두 번째 부분에 특별히 주목할 필요가 있다. 한반도-동북아 평화체제의 실현은 관련국들이 현실에서 맺고 있는 양자 안보동맹들을 인정한 상태에서 점차적으로 탈동맹 지역안보협력으로 나아갈 때 가능할 것이다. 우리는 안보 현실에 바탕을 두고 새로운 미래로, 현실타파적인 전망이 중장기적으로 실현되는 미래로 나아가야 한다.

끝으로, 이러한 전략적 구상의 실현이 남한에 갖는 의미, 그리고 구상의 실천에서 남한이 차지하는 중요성을, 방 총장의 제안으로부터 직접 확인해보자. "북한의 비핵화가 지속적, 동태적 경제성장으로 이어질 경우 가장 큰 이익을 얻게 될 나라는 남한이다. [이렇게 될] 경우 한반도는 동북아시아의 동태적 경제성장을 이끌 견인차로 역할하게 될 것이다. 남한은 저성장의 늪에서 벗어나 다시 한번 경제적 도약을 재현할 기회를 얻게 될 것이다." 한편, "북한의 비핵화정책이 소기의 목적을 달성하기 위해서는 객관적 대북 비핵화정책을 수립·주도하고 이를 시행할 주역이 필수적이다. 이 몫을 담당할 수 있는 국가는 남한뿐이다. 오직 남한만이 북한의 시장지향적 개혁·개방 과정에서 발생하는 체제 불안정 요인들을 북한체제붕괴의 기회로 삼지 않겠다는 진정성 있는 보장을 해줄 수 있기 때문이다." 방찬영 총장의 이러한 정책제안이 한국의 정치사회에 광범위하게 전파되고, 또한 새로운 정부 하에서 초당적으로 추진되기를 기대해 본다.

2017. 8. 20.

CONTENTS

CONTENTS

Part I

북한의 비핵화와
남북한 공동의 경제발전

방찬영 총장과 대담
카자흐스탄 KIMEP대학교 총장

어떻게 하면 문재인 대통령이
북한의 비핵화를 평화적으로 달성하고
남북한 공동의 동태적 경제발전을
이룩할 수 있을까?

북한, 비핵화와 시장지향적 개혁·개방을 통한
동태적 경제발전

1
전쟁과 평화의 갈림길,
문재인 대통령의 선택

지난 6월 28일 미국을 방문한 문재인 대통령이 트럼프 미국 대통령과 정상회담에서 한미 동맹의 다원적·포괄적 발전에 대한 확고한 의지를 다지는 한편, 평화적·외교적 방식을 통한 한반도 비핵화의 중요성도 재확인했다는 평가를 받고 있습니다. 정상회담의 의미를 전반적으로 어떻게 평가하십니까?

문재인 대통령은 북핵문제를 해결할 수 있는 매우 좋은 계기를 맞았다고 볼 수 있습니다.

그 이유는 문재인 대통령은 트럼프 대통령에게 남북관계 개선과 북핵문제 해결에 있어서 주도적인 역할을 하겠다는 제안을 했고, 트럼프 대통령은 이를 수용했다고 볼 수 있기 때문입니다. 이 점이 이번 한미 정상회담의 가장 큰 수확이라 볼 수 있습니다.

북한의 핵무기 개발 프로그램과 관련하여 한국인들이 반드시 주지해야 할 경고(careat)로 받아들여야 할 불편한 진실이 있습니다.

첫째는 미국은 북한의 핵문제를 평화적으로 해결할 객관적 전략적 구상과 정책방안을 보유하고 있지 않다는 점입니다.

미국은 유엔 안보리를 통한 제재 이외에도 독자적으로 동원할 수 있는 다양한 압박수단을 보유하고 있습니다. 세컨더리 보이콧(secondary boycott), 북한의 외교적 고립 전략, 인권문제 제기, 한미연합군사훈련, 첨단 전략자산의 한반도 주변 배치, 그리고 극단적인 수단이긴 하지만 선제공격을 수반한 군사적 위협 등이 포함되어 있습니다. 그러나 미국이 가동할 수 있는 대북 압박수단에도 불구하고 미국은 북한이 비핵화를 수용할 수 있도록 강제할 수 있는 실질적이고 결정적 대안을 갖고 있지 않습니다. 따라서 문재인 대통령이 자신이 한번 나서보겠다고 한 것과, 트럼프 대통령이 이를 수용하는 모양새를 취한 것은 긴 여정의 첫발을 떼었다는 의미를 갖는 것입니다.

둘째는 미국이 그들의 전략적 이해와 국익에 의거하여 북한의 비핵화를 달성한다 하더라도 이 비핵화의 실현이 남한의 전략적 이해와 국익에 부합하지 않을 뿐만 아니라 상반(inconsistent)될 수 있다는 점입니다.

셋째는 문재인 대통령이 독일에서 천명한 전략적 구상에 따라 북한의 비핵화를 평화적으로 해결하고 항구적 평화체제의 구축을 통한 남북한 공동의 경제적 번영을 이룩하기 위해서는 5자 관여국들이 공조하고 성실히 이행할 공동의 대북 비핵화정책안을 시급히 수립하여 제시해야 한다는 점이다.

과연 한반도 정세를 우리가 주도하겠다는 새 정부의 정책 구상에 대해 트럼프 대통령의 지지를 이끌어낸 것으로 볼 수 있을까요? 향후 남북관계 개선을 비롯한 대북정책 추진이 탄력을 받기 위해서는 어떻게 해야 할 것인지 궁금합니다.

문재인 대통령이 '한반도 정세를 주도한다'고 했을 때 그것은 문 대통령이 이

전 정권의 대통령들과는 달리 북핵문제 해결의 방관자가 아니라 주도자의 역할을 하겠다고 선언한 것입니다.

이해 당사자를 조율하고 선도하기 위해서는 5자 관여국들이 공동으로 참여할 수 있는 공통의 정책안을 낼 수 있어야 합니다. 이 공동의 정책안(shared policy)을 낼 수 있는 나라는 대한민국 밖에 없습니다.

5자 관여국들이 동조하고 준수할 수 있는 공동의 비핵화정책을 입안하기 위해서는 정책내용이 한반도에 내재하는 자국들의 전략적 이해와 국익을 반영하고 구체화해야 한다는 것을 의미합니다.

미국이나 중국은 제재나 압박을 통한 채찍은 가할 수 있어도 당근은 줄 수 없습니다. 5자 관여국의 공동의 비핵화정책 참여와 공조를 조건으로, 10년 이상 지속되는 해결책을 제시할 수 있는 나라는 한국이 유일합니다. 따라서 문 대통령도 바로 이런 점을 직시하고 창의적이고 획기적인 대북정책의 도출을 모색해야 합니다.

그럼에도 불구하고 북한은 ICBM급 '화성-14형' 발사를 통해 미국과 직접 대화하겠다는 의사를 밝힌 것은 아닌지 궁금합니다.

트럼프 미 대통령이 한반도 문제가 평화적으로 해결돼야 하며, 한국이 주도적인 역할을 담당해야 한다는 점은 분명하게 인정한 것으로 봅니다. 물론 여기에는 일정한 한계가 있다는 점도 숨길 수 없습니다. 한국이 주도하되, 과연 어떤 방법으로 주도해야 할 것인가 하는 점을 고려해야 합니다.

먼저 대북 비핵화정책을 수립함에 있어서 남한이 가지고 있는 역량과 한계를 이해해야 합니다.

북핵 문제 해결의 전략적 패러다임에는 채찍과 당근의 요소가 있습니다. 억제와 압박은 유엔을 통한 경제적 제재뿐 아니라 미국이 독자적으로 채택할 수 있는 사드 및 첨단 무기 배치, 연합군사훈련 실시, 인권문제 제기 등을 들 수 있는데, 한국이 채찍을 쓸 수 있는 역량은 극히 제한되어 있습니다.

그 한계를 문재인 대통령이 잘 이해해야 합니다. 제제를 할 수 있는 나라는 중국과 러시아가 있습니다. 즉 에너지 공급과 무역 등 경제적 차원의 실질적 제재를 가할 수 있는 나라가 중국과 러시아라는 것이지요. 이에 반해 미국이 할 수 있는 조치는 실질적인 것이라기보다는 간접적인 것입니다.

부연하면 미국이 가동할 수 있는 세컨더리 보이콧, 외교적 고립, 인권문제, 한미연합군사훈련 및 무력수단이 동원될 수 있다는 군사적 압박 등은 직접적이고 실질적인 압박이라기보다는 다소 우회적인 조치들입니다.

남한이 국제 영향력의 이론에 따라 위협(제재와 압박)과 보상에 대한 약속(promises)의 패러다임을 통해 북한의 비핵화를 주도할 수 있는가 하는 것은 5자 관여국들이 공조하고 성실히 이행할 수 있는 공동의 정책안(shared policy)을 제시할 수 있느냐에 달려있습니다.

그렇다면 남한은 어떻게 주도권을 행사할 수 있을까요?

관련 5개 당사국이 그간 북핵문제 해결에 왜 실패했는가를 살펴보면 한국이 왜 주도해야 하는가에 대한 해답이 도출될 수 있습니다.

5자 관여국들은 한반도와 관련된 전략적 이해와 우려가 모두 다릅니다. 그것을 조율하고, 종합해서 공동의 안을 구체화할 수 있는 나라는 오직 대한민국뿐입니다. 그리고 북한 핵의 문제는 다른 관여국과 달리 한국에게는 사활이 걸려 있는 문제입니다. 다른 나라에는 없는 절박성이 있습니다. 이 문제를 해결하지 않고는 한반도의 평화는 물론, 생존조차 담보되지 않기 때문에 남한이 이 문제를 주도적으로 풀어야 하는 운명입니다.

중국과 러시아가 원하는 게 뭡니까? 그들 역시 북한의 비핵화가 실현되기를 희망하지만, 그럼에도 불구하고 조선민주주의인민공화국의 와해로 비핵화가 실현되는 데는 반대합니다. 체제붕괴의 결과로 비핵화가 되어서는 안 된다는 입장이지요.

중국과 러시아는 한반도에서 남북한이 공동으로 주도하는 동북아시아 경제 발전의 허브가 되기를 희망합니다. 중국은 동북아시아에서 평화, 화해, 안정에 기조한 경제발전을 이룩하려는 의지가 강합니다. 그래서 북한의 비핵화가 수용이 되면 미군의 한반도 주둔의 명분을 잃게 될 것입니다. 따라서 미군과 함께 장비가 한반도로부터 철수되기를 원합니다.

그런 것들을 정책안에 구체화할 수 있어야 하는데 그 역할은 오직 남한만이 할 수 있다는 것입니다. 중국, 러시아의 전략적 이해와 우려를 반영해서 공동안을 체계화할 수 있는 유일한 조건은 비핵화 후 북한이 존속할 뿐만 아니라 남북한 협력을 통한 동북아시아 경제발전의 견인차 역할을 할 수 있어야 합니다. 북한이 핵을 포기하고 이러한 역할을 수행할 수 있도록 남한이 공동의 정책안을 제시하고 주변국들을 설득해야 합니다.

남한이 이러한 역할을 수행하기 위해서는 문재인 대통령의 향후 행보는 어떤 모습을 보여줘야 하는 것일까요?

중국에게 북한은 '자산'이지만 김정은은 '부채'로 인식됩니다. 중국은 북한이 비핵화를 수용한 이후에도 핵이 없는 국가로 존속되기를 원합니다.

따라서 김정은 체제가 생존할 수 있는 유일한 길은 비핵화를 수용하고 긍정적인 변화를 통해 체제생존을 모색해야 한다는 것을 의미합니다. 그렇지 않으면 북한 김정은 체제는 정권교체의 위협에 직변하게 될 것이 분명합니다. 따라서 중국과 러시아의 공조를 얻으려면 제재와 함께 보상에 대한 약속을 북한에 해야 합니다.

그와 같은 대안은 조선민주주의인민공화국 입장에선 생존의 기회가 됩니다. 그 생존의 조건을 문재인 대통령이 김정은 위원장에게 제시해야 합니다. 한미 정상회담과 독일 G20에서 '흡수통일은 하지 않는다. 항구적 평화체제 구축을 통한 북한과 공동의 경제발전을 원한다'고 했는데 그 점은 필자의 의견과 동일합니다.

간과해서는 안 될 점은 중국과 러시아가 5자 관여국으로서 제재와 압박을 성실하게 이행할 수 있는 필수적인 조건은 북한이 비핵화를 수용 후에도 살아남을 수 있어야 한다는 점입니다. 그것을 약속하면 중국과 러시아가 북에 통첩하겠지요. '받아 들여라, 이것 밖에는 너희가 살 길이 없다'고 말입니다.

최근 북한의 ICBM 미사일 실험 악재 때문에 문 대통령이 북핵문제 해결의 주도권을 쥐기 어려운 상황이 된 것은 아닌가요?

제재와 압박을 통해 북한의 비핵화를 유도하기 위한 전략적 수단과 관련한 문재인 대통령이 지닌 영향력과 역량은 한계가 있습니다. 그러나 역설적으로 주도권을 갖기 위한 열쇠를 가진 사람은 문재인 대통령입니다.

중국의 전략적 이해, 국익, 우려를 반영할 뿐만 아니라 그 안을 구체화할 수 있는 사람이 바로 문재인 대통령입니다. 중국은 김정은 위원장이 변화하기를 원합니다. 김정은 위원장이 시장경제를 도입하여 경제적으로 부흥하면 중국 및 동북아시아 지역의 경제발전에 크게 탄력을 받을 것입니다.

이와 같이 경제발전이 이 지역 내에서 미국의 영향력의 축소로 연결되기를 기대합니다. 한국 입장도 비슷합니다. 북한이 세계에서 가장 빠른 경제발전을 하게 된다면 한국경제도 더욱 활성화될 것입니다.

문재인 대통령의 전략적 구상 내에 김정은 위원장이 비핵화를 수용하고 시장경제를 도입하여 가장 빠른 동태적 경제발전을 할 수 있도록 모든 경제적, 정치적 협조와 지원을 제공하겠다는 의도가 내포되어 있습니다. 문재인 대통령의 이같은 구상에는 러시아도 동의할 것입니다. 그것은 미국과 일본의 국익에도 배치되지 않습니다.

북한이 비핵화를 수용하게 되면 북미 수교, 북일 수교가 가능해지고 일본으로부터는 300억 달러 이상의 배상금도 받을 수 있습니다. 남한이 북한으로 하여금 비핵화를 수용하도록 주도하고 남한의 경제적 지원으로 향후 10년 간 역사상 가장 빠른 경제발전을 이룩할 수 있다면 미국과 일본도 이에 동조할 것입니다.

그렇다면 총장님께서 구상하시는 단계론은 무엇입니까?

북한의 비핵화를 달성하기 위해서는 5자 관여국들이 공동으로 북한이 핵 개발을 지속함으로써 제재와 압박으로 인해 체제붕괴를 감수하거나 아니면 5자 관여국들의 지원과 배려로 시장경제를 통해 경제현대화를 이룩하여 체제생존을 모색하는 대안 중에서 양자택일을 하도록 제시하여야 합니다.

즉 북한에게 100일 정도의 최종기간을 주고 이 기간 중에는 한미 양국을 위시한 일·중·러가 북한에 대한 한미연합군사훈련을 포함한 모든 제재와 압박을 중지해야 합니다. 5자 관여국이 공동으로 마련한 안을 제안하는 것이지요.

다시 말하면 정권의 붕괴를 가져올 확률이 거의 확실한 핵 보유 방안, 체제유지와 경제현대화를 확실하게 담보할 핵 폐기 방안 중 하나를 선택하라는 것이지요. 현 상황에서 북한은 후자를 선택할 것이 틀림없습니다.

그것은 그들 스스로도 그 방안 외에는 생존할 수 있는 길이 사실상 존재하지 않는다는 것을 잘 알고 있기 때문이지요. 김정은 위원장의 올바른 결단을 돕고, 이후 북한의 경제현대화를 도모하여 세계의 화약고로 전락한 한반도에 완전히 새로운 기운을 불어넣어야 합니다.

김정은 위원장이 비핵화를 수용하고 시장경제를 도입하여 경제현대화를 통해 체제생존을 모색하는데는 대단한 위험과 모험이 수반됩니다.

문재인 대통령은 김정은 위원장이 핵을 포기하고 시장지향적 개방을 통한 경제현대화 작업에 나서는데 봉착하게 될 애로와 난관을 이해할 필요가 있습니다. 문재인 대통령은 김정은 위원장이 비핵화를 수용하고 난관과 장애를 극복하고, 경제현대화에 나서도록 획기적이고 창의적인 정책대안을 제시할 수 있어야 합니다.

획기적이고 담대한 양보와 배려로 문재인 대통령이 김정은 위원장을 설득하여 비핵화를 수용하고 경제현대화 작업에 나서도록 설득하는데 성공한다면 김정은 위원장과 문재인 대통령은 기존의 남북한간의 편견과 적대관계를 극복하고 지혜와 용기로 위기를 극복한 위대한 두 지도자로 역사에 기록될 것입니다.

2
김정은의 선택
파멸이냐, 번영이냐

트럼프 미국 대통령이 북한 비핵화와 관련하여 대북 영향력을 행사해주도록 중국을 압박했으나 중국은 여태까지 북한이 움직일 만한 결정적 수준의 압박을 하지 않은 것 같습니다. 중국은 왜 트럼프의 요청에 협조하지 않는 것일까요?

미국이 제시하는 비핵화정책안이 북한의 비핵화를 달성하기 위한 방편으로 압박과 제재를 통한 위협에 일방적으로 의존할 경우 중국은 이 정책안에 동조하지 않을 뿐만 아니라 성실히 이행하지도 않을 것입니다.

따라서 중국의 긍정적인 공조를 확보하기 위해서는 제재와 압박을 통한 위협이 북한이 비핵화를 수용하여 반대급부로 얻게 될 체제생존의 진정성 있는 기회의 보장과 동시에 제시되어야 한다는 것을 의미합니다.

북한무역의 90%를 중국이 담당하고 있으니까 무역을 중단하고 에너지 공급을 차단 조치한다면 북한이 굴복할 수밖에 없는 상황 아닌가요?
그럼에도 불구하고 중국이 그 카드를 끝내 쓰지 못하는 이유는 무엇일까요?

그것이 가장 핵심적인 점입니다. 지금까지 트럼프 대통령이 추구해온 것은 북한에 실질적 영향력을 행사할 수 있는 중국이 제재와 압박의 수위를 높여서 김정은 정권이 비핵화를 수용하든가 아니면 정권교체를 하도록 종용하는데 초점이 맞추어졌습니다. 그러나 중국은 절대 트럼프의 요구대로 북한을 압박할 수가 없습니다. 문재인 대통령과 대화할 때도 직접적 언급은 아니지만 조선민주주의인민공화국과 중국이 혈맹국가임을 암시합니다.

간과해서는 안될 점은 제재는 위협이지만 북한은 위협만으로는 비핵화 요구를 절대 받아들이지 않습니다. 북한이 핵을 포기함으로써 받을 보상에 대한 약속이 동시에 제시되어야 하는 것을 의미합니다.

남한이 중심이 되어 5자 관여국의 포괄적인 경제적 지원을 받는다는 것을 전제로 북한이 핵무기를 포기하더라도 김정은 위원장이 과연 시장지향적 개혁, 개방안에 동의할 수 있을까요? 자신들 나름의 경제시스템을 발전시킬 수 있도록 허용해야 한다고 주장할 가능성도 있지 않습니까? 시장지향적 경제개혁은 김정은 위원장에게도 두려운 선택지가 될 것 같습니다.

김정은 위원장이 그렇게 생각할 수도 있을 것입니다. 김정은 위원장 의도대로 경제가 발전할 수 있으면 좋겠지만 사실상 그것은 불가능한 일입니다. 서독의 헬무트 콜 수상이 왜 동독 호네커에게 시장경제를 도입하는 조건으로 경제발전기금을 지원하겠다고 했는지 그 배경을 이해해야 합니다.

콜 수상은 '우리는 흡수통일 하지 않겠다. 그러나 경제발전기금을 공여받기 위해서는 시장경제를 도입하라'는 주문을 했습니다. 그런 제안의 원문이 1989년 NYT에 게재됐어요. 이게 무슨 얘기냐 하면 역사상 사회주의체제를 가지고 경제발전에 성공한 나라가 없다는 뜻입니다.

불행하게도 김정은 위원장은 국가발전을 위한 새로운 패러다임을 창안할 전문지식과 경험을 겸비한 전문가들을 보유하고 있지 않습니다. 필자가 「김정은 위원장의 위대한 도전, 2017.8.19」이라는 제목 하에 출간한 책에서 북한의 경제발전을 위한 새로운 패러다임을 제시한 것도 이와 같은 북한의 한계를 이해한 데서 비롯한 것입니다.

결국 김정은도 결단해야 할 날이 임박한 것 아닌가 하는 생각이 듭니다. 핵무기 유지를 통한 궁극적인 파멸이냐, 아니면 시장지향적 개혁·개방을 통해 번영하느냐 양자택일 아닙니까?

안타깝게도 국내외 북한 전문가들은 북한의 핵무기 개발 프로그램과 남북한 간 관계에 내재하는 중요한 의미를 애써 간과하거나 제대로 이해하지 못하고 있는 것 같습니다.

북한의 핵무기 개발 프로그램의 발단은 국가의 공식 통치이념을 반영하고 구체화한 적대적 정책의 소산이라는 점입니다. 핵무기 개발 프로그램을 시도함으로써 적대관계가 형성된 것은 아니라는 것이지요. 따라서 북한이 비핵화를 수용할 경우도 어떤 조건이 충족되느냐에 따라 남북관계가 달라집니다.

생산수단의 국가 소유, 무산계급 독재, 유일영도체제와 수령관 등 주체사상이 국가의 공식 지도이념으로 잔존하는 한 북한이 비핵화를 수용하더라도 남북한 간의 적대와 갈등관계는 청산되지 않는다는 점입니다. 주체사상이 국가의 공식 지도이념으로 남아있다면 남북화해와 우호에 기초한 경제협력은 불가능합니다.

북한 입장에서도 경제현대화 달성은 요원합니다. 북한이 경제현대화를 이룩하기 위해서는 유훈통치의 굴레에서 벗어나야 합니다. 그래야 비로소 소수의 특수 엘리트 계층의 복지를 위해 다수의 인민이 희생되고 착취되는 체제로부터 탈피할 수 있을 것입니다. 바로 이 대목이 김정은 통치자가 경제현대화를 위해 극복하고 안아야 할 부담일 것입니다.

북한은 왜 핵무기 개발 프로그램이 체제의 생존과 직결된다고 인식하고 있을까요? 먼저 군사비와 관련한 배경부터 설명해주시기 바랍니다.

1992년 이후 북한의 국민총생산은 매년 10%씩 감소했습니다. 1992년 208억 달러였던 것이 2000년에는 105.9억 달러가 되었습니다. 불과 8년 만에 국민총생산이 반토막이 된 겁니다. 북한의 경제력이 급격하게 쇠퇴한 것을 알 수 있습니다.

1960년대에 구축된 북한의 무기체계는 30~40년 이상 노후화되었는데, 그것을 현대화된 무기로 대체하기가 어렵게 됐습니다. 1980년 이후 괄목할만한, 지속적인 경제성장을 이룩한 한국과 극명하게 비교됩니다.

재래식 군사력으로는 남한과 군사적 균형을 유지하기가 어렵게 됐다는 것을 인식하게 됐습니다. 북한은 매년 국민총생산의 25%에서 30%를 군사비에 충당하는 것으로 추산됩니다. 2013년 북한의 국민총생산을 310억 달러로 추산할 때, 북한은 75억에서 80억 달러를 군비에 충당한다는 계산이 나옵니다.

2013년 국민총생산 1조 3000억 달러의 2.8%인 339억 달러를 군비에 할당한 남한과 현격한 대조를 보이는 결과입니다. 남한의 군사비 지출이 북한의 국민총생산을 초과하고도 남는다는 것을 의미하지요.

북한은 재래식 무기체제만으로는 남북한 간의 군사력의 균형을 유지하기가 어렵다는 것을 분명히 인식하게 되었습니다.

핵 개발을 하게 된 또 하나의 주된 원인으로 미국의 북한에 대한 위협정책을 지적하는 전문가도 있습니다.

2003년 대량살상무기를 보유하고 있다는 가정 하에 미국에 의해 감행된 이라크에 대한 무력침공으로 북한은 큰 충격을 받았을 것입니다. 이라크와 함께 악의 축의 한 국가로 지목된 북한이 다음 목표가 될 수 있다는 우려를 갖게 된 것이지요.

2013년 3월 31일 김정은 위원장이 노동당 중앙위원회 전체회의에서 행한 연설도 그 같은 인식을 반영합니다. 그는 이 연설에서 '전쟁억제력마저 포기했다가 종당에는 침략의 희생물이 되고만 발칸반도와 중동지역 나라들의 교훈을 절대로 잊지 말아야 한다'고 강조합니다.

북한은 핵 억지력이 미국이 한반도에서 전쟁을 치를 경우 미국이 지불해야 하는 대가를 극대화할 수 있는 수단이라고 생각합니다. 다시 말해 미국의 선제공격을 억지할 수 있는 최선의 수단이라 믿고 있는 것이지요. 미국이 핵 시설에 대해 무력공격을 감행할 수 있다는 북한의 우려는 근거 없는 기우라고 볼 수만은 없습니다.

2002년 12월 2일자 「시카고 트리뷴」지는 '클린턴이 90년대에 북한을 공격하기 위한 그의 계획을 토로하다'라는 제목의 충격적인 기사를 게재했습니다. 미국이 북한과 북한의 원자로를 실제로 공격할 계획을 수립했다는 클린턴의 발언을 보도한 것입니다.

또한 미국의 오바마 대통령은 2016년 4월 26일 「CBC 뉴스」와의 인터뷰에서 '미국은 미국이 가진 무력으로 북한을 확실하게 궤멸시킬 수 있지만 그렇게 하지 않는 이유는 이로 인해 야기되는 인적피해를 떠나 우리의 가장 가까운 우방인 남한이 북한에 바로 근접해 있기 때문이다'라고 발언한 바 있습니다. 북한의 변덕스러운 지도자 김정은에게 경고의 메시지를 보낸 것이지요. 미국의 북한에 대한 군사적 위협이 북한으로 하여금 핵 개발을 하도록 만든 배경 중의 하나인 것은 분명합니다.

북한 경제의 70%가 장마당에서 이뤄지고 있다는 것은 충격적입니다. 사회주의 경제를 표방해온 북한이 어떤 이유와 과정으로 국가의 경제관리와 조정기능을 상실하게 되었나요?

북한은 1993년까지 국가경제의 순환구조를 유지했습니다. 국가계획위원회가 수립한 세부계획에 따라 기업소들이 생필품을 생산하고 생산된 물품의 일부는 공식 배급망을 통해 분배했지요. 나머지는 유통 상점을 통해 판매하는 국민경제의 순환구조가 가동되었습니다.

1990년 이후 소련과 동구권 국가의 사회주의체제가 붕괴되었습니다. 그에 따라 북한의 전통적 사회주의 중앙집권적 통제경제가 치명적인 타격을 입게 됩니다. 그것은 북한이 이들 사회주의 국가에 의존해온 유류, 생산원료 및 원자재 그리고 기계의 수입이 급감했기 때문입니다. 사유화된 동구권 국가의 기업이 북한의 수입품에 대한 대금을 외화로 결제할 것을 요구했기 때문입니다.

소련과 동구권 사회주의 국가들이 붕괴됨에 따라 북한이 이들 국가에 의존해오던 생산재, 생산원료, 유류 및 기계수입 등이 차질을 빚게 됨으로써 전통적 사회주의 중앙집권적 경제계획의 방식에 따른 세부계획을 더 이상 수립할 수 없게 되었지요.

이 계획에 의거하여 기업소들이 중앙당국으로부터 생산원료와 임금을 배정받아 생산계획을 이행할 수 없게 된 겁니다. 생산원료 공급의 차질은 전력부족과 기계설비의 낙후와 맞물려 제조업 부문의 붕괴를 촉진했습니다. 제조업 부문의 붕괴는 국가의 사회 · 경제 전반에 걸쳐 막대한 부작용(side effect)을 초래했습니다. 1990년 중 · 후반에 200여만 명의 인민의 목숨을 앗아간 '고난의 행군'은 가뭄으로 인한 농업생산의 차질과 제조업 부문의 와해가 맞물려 일어난 재난입니다.

제조업 부문의 붕괴로 야기된 사회경제전반의 부작용을 더 구체적으로 설명해주시기 바랍니다.

우선 악성 인플레이션(Hyperinflation)이 확산되었습니다. 중앙은행을 통해 거두어들이는 재정수입이 줄어들면서 그 재정적자를 화폐를 발행하여 메우게 되었습니다. 당연히 악성 인플레이션이 사회전반에 만연하게 되고, 악성 인플레이션은 다시 화폐가치와 신용의 실추로 이어집니다. 자국 화폐 원화가 상품거래의 수단으로써 뿐만 아니라 저축수단으로서의 신뢰성을 상실하게 되었습니다.

결국 외화가 '원화'를 대체하게 되었지요. 제조업 부문의 붕괴와 그로 인한 악성 인플레이션의 만연은 2009년 11월 화폐개혁의 단행으로 이어집니다.

경제학에서 흔히 일컫는 달러화(dollarization)와 위안화(yuanization)현상이 대두되었습니다. 장마당에서 거래되는 상품거래 뿐만 아니라 개인 간의 차용이나 뇌물에 이르기까지 광범위하게 외화사용이 확대되었습니다. 이때 시중에 유통된 외화의 대부분은 중앙은행이나 조선무역은행을 거치지 않고 '불법'으로 유통되었습니다. 이런 상황을 국가가 통제할 수 없게 되었습니다.

제조업의 와해는 배급체계(rationing system)와 물품유통구조(distribution structure)에 치명적 타격을 입혔습니다. 북한 당국이 생필품을 생산하여 공급할 수 없게 되자 궁여지책으로 생필품을 장마당에서 구입할 수 있도록 장마당의 설립을 허가할 수밖에 없게 되었습니다.

1995년 고난의 행군 이후 장마당의 수가 우후죽순(spring up)으로 늘어난 배경입니다. 현재는 북한에는 400여개의 장마당이 열리고 60여만 명의 상인들이 장마당을 누비고 있습니다.

앞서 언급한 것처럼 비공식 경제 부문인 장마당에서 경제활동으로 산출한 생산이 국민총생산의 70%에 육박한 것으로 알려졌습니다. 공식 유통망의 공백을 메우기 위해 허용한 장마당은 사금융과 돈주들을 탄생시켰습니다. 국가가 더이상 생산 활동에 필요한 자본을 공급할 수 없었기 때문입니다. 결국 국가 대신 돈주들이 상인들이 필요로 하는 자본을 공급하게 되었습니다.

현재 북한에는 1만 달러 이상을 보유한 돈주의 수가 20만 명이 넘는 것으로 집계되고 있습니다. 요즘의 돈주들의 역할은 단순히 돈을 빌려주는데 그치지 않습니다. 그들은 부동산, 운송업, 광산업, 서비스업, 어업 등 사영업 분야에 광범위하게 진출하게 되었습니다.

북한에서 사영업을 설립하고 운영하기 위해서는 기발한 발상이 필요합니다. 자본을 출자하는 돈주(직접 아니면 사업가와 합동으로)가 국가기업과 제휴 하에 국가기업소의 명의를 빌리기도 합니다.

공인되지 않은 투자를 보호받기 위해서는 당이나 군에 근무하는 고위관리의 비호가 필요합니다. 그런 비호와 묵인을 통해 북한의 사영업이 탄생합니다. 그 과정에서 돈주들의 역할은 절대적이라 할 수 있지요. 필자가 북한 경제를 더 이상 사회주의적 시스템으로 보지 않는 이유가 바로 여기에 있습니다.

3

미국은 과연 북핵문제
해결의 전략이 있는가?

지금까지 한미 정상회담 등에서 도출된 현안에 대해 집중적인 분석을 해주셨습니다. 앞으로는 보다 구조적인 문제, 근원적인 해결을 위한 전략적 차원의 사태 분석을 해주셨으면 합니다. 북한이 집요하게 매달리고 있는 핵과 미사일 개발 문제가 이제 가장 시급한 세계적인 이슈로 부상했습니다. 새로 취임한 한국의 문재인 대통령이 직면하고 해결해야 제1의 과제가 되었음은 물론입니다. 북핵 이슈가 한민족의 사활이 달린 위급한 현안으로 부상하게 된 배경을 전반적으로 진단해주시기 바랍니다.

먼저 지난 1월 20일 트럼프 행정부가 출범한 이후 진전된 사태에 주목해야 합니다. 북한이 미국 본토를 타격할 수 있는 장거리 미사일(ICBM) 프로그램의 개발에 박차를 가함으로써 위급한 국면을 맞고 있습니다.

트럼프 행정부는 북한이 핵탄두로 미국 본토를 공격할 수 있는 대륙간 탄도 미사일(Intercontinental Ballistic Missile)의 개발을 절대로 용납하지 않겠다는 확고한 의지를 수차례 대내외에 천명한 바 있습니다. 또한 미국은 유엔 안보리를 통한 대북제재, 독자적으로 이행하는 대북 압박의 강도를 계속 증대시키고 있습니다. 그러나 이 시도가 북한의 핵 개발을 저지하는데 실패할 경우 미국은 선제공격(preemptive strike)을 포함한 군사적 행동이 북한의 핵무기 개발을 저지하기 위한 수단으로 고려될 수 있다는 점을 분명히 피력했습니다. 트럼프 대통령과 문재인 대통령이 3–4개월 간격으로 취임한 직후 벌어진 상황 변화라 할 수 있겠습니다.

미국의 대북정책 기조가 지난 오바마 정권 때와는 본질적으로 달라졌다는 것을 의미하는 것일까요?

최근 트럼프 행정부의 이 같은 의지표명은 과거 8년간 오바마 행정부가 추구해온 전략적 인내(strategic patience) 정책의 종결을 의미합니다. 미국의 대북 비핵화정책이 강경노선으로 선회했음을 단적으로 시사하는 것이지요. 미국 본토를 공격할 수 있는 북한의 대륙간 탄도미사일 프로그램이 최종단계에 진입했다는 데에 군사전문가들의 견해가 일치합니다.

북한의 장거리 미사일 및 핵무기 개발의 급진전은 미국의 확고한 비핵화에 대한 의지와 맞물린 상황이 됐습니다. 북한의 핵개발 문제가 한민족의 운명을 좌우하는 중대하고 시급한 현안으로 부상하게 된 것입니다. 지난 3월 8일 중국의 왕이 외교부 장관이 한반도를 둘러싼 긴장 국면이 마치 '마주보고 달려오는 두 열차와 같다'라고 피력한 것도 북한의 핵무기 개발로 인한 북·미간의 갈등 국면이 얼마나 긴박하고 심각한지를 보여준 것이라고 생각합니다.

그간 미국 정부가 추진했던 대북 비핵화정책이 실패한 이유는 무엇일까요?

미국이 아주 강력하고도 포괄적인 수단을 갖고 있는 것은 사실입니다. 북한의 비핵화와 관련해 미국은 세컨더리 보이콧(Secondary Boycott), 인권침해, 외교적 고립, 해상 봉쇄, 대북 전쟁억지력 강화를 목적으로 하는 한미연합군사훈련, 첨단 군사무기의 한반도 주변 배치 그리고 선제공격이 북한의 핵을 저지하기 위한 수단으로 동원될 수 있다는 위협 등 다양한 수단과 막강한 능력을 보유하고 있지요. 그럼에도 불구하고 미국이 북한의 핵 프로그램의 개발을 실질적으로 저지할 수 있는 평화적인 수단과 능력에는 한계가 있습니다. 다시 말해 미국은 북핵문제 해결을 위한 객관적이고 실효성 있는 전략을 갖고 있지 못합니다.

미국이 추진했던 대북정책이 실패한 이유는 세 가지 원인으로 요약됩니다. 첫째는 6자 회담의 틀을 통해서 북한의 비핵화를 달성하려면 5자 관여국들(한국·미국·중국·러시아·일본)이 모두 동의하고 성실히 이행할 공동의 대북 비핵화정책안의 수립이 선행되었어야 합니다.

둘째는 제재와 압박만으로는 북한의 비핵화를 달성할 수 없습니다. 비핵화를 달성하기 위해서는 북한이 비핵화를 수용하는 대가로 체제생존을 위한 진정성 있는 기회가 제시되었어야 합니다.

셋째는 객관적, 포괄적인 대북 비핵화정책을 제시하는데 실패하였기 때문입니다. 기존의 미국의 대북 비핵화정책이 실패할 수밖에 없었던 주요 원인은 5자 관여국들이 준수하고 동조할 공동의 대북 비핵화정책을 제시하지 못했기 때문입니다. 이런 관점에서 스콧 스나이더(Scott Snyder) 미국 외교협회(CFR) 선임 연구원의 발언은 경청할만한 가치가 있습니다.

그는 '관여국들이 북한의 핵 개발 프로그램을 저지하기 위한 공동의 요구보다 자국들의 직접적 이해와 우려를 우선시했기 때문에 6자 회담의 틀이나 또 다른 어떤 지역적 노력을 통한 비핵화의 시도가 실패할 수밖에 없었다'고 지적했습니다. 따라서 5자 관여국들이 동조하고 준수할 수 있는 공동의 비핵화정책을 입안하기 위해서는 정책내용이 한반도에 내재하는 자국들의 전략적 이해와 국익에 부합해야 한다는 것을 의미합니다.

오바마 행정부가 집권 기간 8년간 추구해온 대북 비핵화정책 억시 실패로 귀결 됐습니다. 흔히 '전략적 인내'라 불렸던 오바마의 북핵 정책이 실패한 이유가 궁금합니다.

앞서 지적한 것처럼 북핵문제 해결에 이해관계를 가진 5자 관여국은 핵 개발 프로그램을 저지하기 위한 공동의 요구보다 자국의 이해와 우려를 우선시했습니다. 다시 말하면 5자 관여국이 북한의 비핵화를 위해 긍정적으로 참여하고 공조할 '공동의 비핵화정책'을 수립하고 제시하는데 실패한 것입니다. 북한의 비핵화를 위한 접근방법에 대한 객관적 이해도 결여되었습니다.

미국은 그간 대북제재와 압박을 통한 위협에 일방적으로 의존하는 전술적 오류를 범했습니다. 5자 관여국 역시 북한이 비핵화를 수용하는 대가로 어떤 조건들을 제시해야 하는가에 대한 공동의 합의를 도출하지 못했습니다.

핵무기를 개발한 것도 북한이고, 또 핵무기 개발을 폐기해야 하는 것도 북한이지요. 북한이 왜 핵무기 개발 프로그램을 시도하게 되었는지, 그 동기에 대한 이해도 매우 부족했던 것이 실패의 본질적 배경이라 할 수 있겠습니다.

트럼프 행정부가 과연 북한의 비핵화 달성에 대한 인식의 특징은 무엇이고 비핵화를 위한 확고한 정책을 이미 수립한 것으로 보십니까?

지난 1월 20일 출범한 미국의 트럼프 행정부는 북한이 핵탄두로 미국 본토를 공격할 수 있는 ICBM의 개발을 절대로 용납하지 않겠다는 의지가 확고합니다. 또한 트럼프 대통령은 유엔 안보리를 통한 대북제재와 미국이 독자적으로 이행하는 대북압박이 북한의 핵무기 개발을 저지하는데 실패할 경우 선제공격(preemptive strike)을 포함한 군사적 행동이 북한의 핵무기 개발을 저지하기 위한 수단으로 고려될 수 있다는 점을 분명히 피력했습니다. 트럼프 행정부의 입장이 과거 8년간 오바마 행정부가 추구해온 전략적 인내(strategic patience)에서 탈피하여 미국의 대북 비핵화정책이 강경노선으로 선회했음을 단적으로 시사하는 것입니다.

트럼프 행정부가 북한의 비핵화를 실현하기 위해 강한 의지를 갖고 있는 것은 사실입니다. 그러나 이를 밑받침할 합리적 · 전략적 구상과 객관적인 대북 비핵화정책안을 갖고 있다는 증거를 찾아볼 수는 없습니다.

대북 비핵화와 관련해 지금까지 트럼프 행정부가 선보인 대북제재, 선제공격을 포함한 군사적 행동이 북한의 핵 개발을 종식시킬 수 있을까요? 압박만으로는 북한의 비핵화를 달성할 수 없다는 불편한 진실이 존재합니다. 이 진실을 직시해야 북핵문제 해결의 단초를 확보할 수 있을 것입니다.

북한에 대한 선제공격이 과연 북핵문제 해결의 전략적 수단으로 논의될 수 있을까요? 말씀하신 것처럼 엄청난 재앙이 뒤따를 것이 자명합니다. 미국이 고려하고 있을지도 모르는 선제공격이 갖는 의미와 한계를 지적하신다면?

미국의 틸러슨 국무장관을 위시한 트럼프 행정부의 고위 각료들이 거론하는 선제공격(Preemptive strike)은 두 가지 의미를 갖습니다.

하나는 북한이 비핵화를 전제로 하는 협상에 참여하도록 유도할 목적으로 사용하는 경우입니다. 선제공격을 포함한 군사적 행동이 북한의 핵무기 개발을 저지하기 위한 수단으로 고려되고 있음을 강력히 시사하는 정도로 그 목표를 한정하는 경우입니다. 또 다른 하나는 북한의 핵 및 장거리 미사일 프로그램을 저지하기 위한 목적으로 실제 선제공격을 감행하는 경우입니다. 그러나 어떠한 경우든 선제공격은 비핵화를 실현하기 위한 효율적인 대안이 될 수 없습니다.

선제공격이 효율적인 대안이 될 수 없는 구체적인 이유가 무엇인지 궁금합니다.

먼저 전문가들이 거론하는 선제공격의 세 가지 양상을 이해해야 합니다.

첫째, 선제공격이란 북한이 핵탄두로 무장한 미사일 공격태세를 갖춘 정황이 포착되었을 경우, 발사능력을 제거하기 위해 발사대를 공격하거나 아니면 이미 발사한 미사일을 공중에서 타격하는 것을 의미합니다.

둘째는 북한의 핵과 미사일 프로그램의 개발을 포기하도록 압박을 가할 목적으로 관련시설을 무력으로 공격하는 것을 의미합니다. 핵 프로그램 및 군사통제체제를 교란시키기 위한 사이버 공격도 이에 포함될 수 있지요.

세 번째는 북한의 김정은 통치체제를 완전히 분쇄하기 위한 전쟁을 시작하는 것입니다. 미국이 먼저 무력공격을 감행하는 것을 의미합니다.

그런데 세 번째를 제외한 '한정된 공격'은 북한의 핵 개발 프로그램을 잠시 지연시킬 수 있어도 완전한 수준의 핵폐기를 달성할 수는 없습니다. 왜냐하면 장거리 미사일 발사체(ICBM projectile), 통제기구(control system) 및 핵시설에 대한 선제공격만으로는 깊이 은닉된 북한의 무기체제와 시설을 완전히 제거한다는 것은 현실적으로 불가능하기 때문입니다. 게다가 북한은 막강한 무력보복으로 대응할 것이 틀림없습니다. 결국 선제공격은 남북한 간의 전면전쟁으로 비화될 수밖에 없습니다. 선제공격이 북한의 비핵화를 달성하는 최후의 수단일 뿐, 현실적인 전략수단은 될 수 없다는 점을 우리는 인정해야 합니다.

그럼에도 트럼프의 태도는 상당히 강경해보입니다. 선제공격 등 북한의 핵 프로그램을 저지하기 위한 미국의 시도가 현실화될 경우, 그로 인해 초래될 결과는 어떻게 예측할 수 있을까요?

미국과 관여국들이 공동으로 가동한 대북제재와 압박의 수위와 강도가 확대되고 고조되어 김정은 체제의 생존을 위협할 경우를 상정해봅시다. 북한은 체제붕괴를 감수하기보다 남한에 대한 국지적 무력도발을 시도할 가능성이 매우 큽니다. 북한의 무력도발은 결국 남한의 초강경 대응으로 이어져 남북한 간의 전면적 무력충돌로 비화할 것입니다.

대북제재와 압박이 김정은 정권의 와해를 야기했다고 가정해봅시다. 김정은 위원장의 돌발적이고도 광포한 퇴출은 남한에 의한 정치적 통합 즉 흡수통일을 가져다주지 않을 뿐만 아니라 한반도에 엄청난 파탄과 재난을 불러오게 될 것입니다. 미국이 관여국과 공동으로 가동한 대북제재와 압박이 그 결실을 보지 못해 실패할 경우도 상정할 수 있을 겁니다.

이 경우 미국은 북한에 대해 독자적인 선제공격을 포함한 제반 군사적 행동을 감행하도록 압력을 받게 될 것이 분명합니다. 미국이 선제공격을 감행할 경우 북한은 남한에 대해 강력한 무력공격으로 대응할 것이 분명합니다. 이와 같은 사태로 확전될 경우 개전 1시간 이내에 남한에는 13만 명의 사상자를 발생할 것으로 군사전문가들은 추정하고 있습니다. 거의 재앙과 같은 상황이 전개될 것입니다.

공동의 비핵화정책안을 입안하기 위한 중국과 러시아의 전략적 이해와 국익은 미국과 어떻게 다른 것인가요?

중국과 러시아는 유엔 안보리에 의한 결의와 5자 관여국들이 독자적으로 동원할 수 있는 대북제재와 압박이 북한체제붕괴 수단으로 이용되는데 반대합니다. 북한의 비핵화를 위한 정책목표가 북한 체제의 붕괴의 결과를 통해 성취되어서는 안 된다는 입장이지요. 뿐만 아니라 중국과 러시아는 북한이 비핵화를 수용한 이후에도 지금까지 담당해온 남한과 중국 및 러시아 간의 완충지대의 역할을 지속해주기를 원합니다.

앞서 언급한 것처럼 중국과 러시아는 대북제재와 압박이 북한을 6자 회담의 장으로 유도하는 수단으로 국한되어야 한다는 입장을 견지합니다. 한 마디로 평화적으로 해결되어야 한다는 원칙을 고수하고 있습니다. 중국과 러시아는 북한과 국경을 공유하고 있습니다. 때문에 북한의 비핵화의 수용이 한반도에 평화와 안정을 도모할 뿐만 아니라 공동의 경제적 번영에도 기여하는 방향으로 이뤄져야 한다고 주장하는 것입니다.

다시 말해 중국과 러시아는 북한의 비핵화 수용이 한반도에서 미국의 군사적 영향력 확대로 전개되는데 반대합니다. 북한의 비핵화 수용을 계기로 한반도에서 미국의 정치적, 군사적 영향력 축소로 이어지기를 기대하는 것이지요.

트럼프는 북핵문제 해결에 있어 중국의 역할을 특히 강조하고 있습니다. 실제로 중국은 그런 역량을 가지고 있는가요?

북한이 비핵화를 수용할 수밖에 없도록 대북 경제제재의 수위와 강도를 격상시킬 수 있는 국가는 5자 관여국 중 오로지 중국뿐입니다. 중국은 북한에 년 50만 톤씩 중유를 공급하고 있어요. 북한의 에너지 문제는 중국이 키를 쥐고 있습니다. 북한의 총무역량 약 65억 달러 중 북·중 무역액이 차지하는 비중이 90% 이상을 차지합니다.

중국이 북한에 공급해온 중유공급을 중단하고 북·중 무역을 차단할 경우 북한의 경제는 1년을 지탱하기도 어려울 것 입니다. 이것은 중국의 실질적이고 확고한 공조 없이는 비핵화를 평화적으로 실현할 수 없다는 것을 의미하는 것이지요.

대북제재와 압박과 관련한 러시아의 수단과 능력은 보완적이고 제한적입니다. 러시아는 유엔 안보리의 회원국으로 대북제재의 표결에 참여해 찬성표를 던짐으로써 대북제재 결의안을 채택시키고 러시아에서 취업해온 북한 노동자들을 러시아로부터 축출할 수 있는 정도의 수단을 갖고 있을 뿐이지요.

중국은 북한을 붕괴시킬 수 있는 수단과 역량을 가지고 있지만 이를 성실히 이행할 의도가 전혀 없습니다. 중국을 압박하려는 트럼프 대통령의 시도가 결실을 맺기 어려운 이유입니다. 결국 대북제재와 압박은 당근으로 비유되는 보상에 대한 약속과 동시에 제시되어야 하는 이유가 여기에 있습니다.

트럼프는 취임 초 중국을 통한 압박으로 북한 비핵화정책을 시작했습니다. 사실 중국의 도움 없이는 북핵문제 해결은 불가능하다는 것이 상식이지요. 그렇다면 한·미 양국이 중국의 공조를 유도하기 위한 전략적 구상에는 어떤 것들이 있을까요?

미국이 6자 회담의 틀을 통해 북한의 비핵화를 이룩하려면 중국의 실질적 참여와 공조가 필수적입니다. 중국은 5자 관여국 중 대북제재를 통해 북한에 실질적 영향력을 행사하고 핵 프로그램을 저지시킬 수 있는 유일한 국가이기 때문이지요. 미국이 중국의 실질적 참여와 공조를 유도하는 두 가지 전략이 있습니다.

첫 번째는 중국의 자발적 공조를 유도하는 것이고, 두 번째 조치는 미국이 중국에 대해 압박을 행사함으로써 타의에 의한, 마지못한(reluctant) 공조를 얻어내는 것입니다.

아무래도 자발적 공조가 바람직한 전략이겠죠?

먼저 북한의 핵 개발과 관련한 중국의 대한반도 전략적 이해와 목표를 이해해야 합니다.

첫째 중국은 북한의 핵과 장거리 미사일 프로그램이 자국의 전략적 이해와 국익에 위배될 뿐 아니라 더 나아가 북한의 비핵화가 반드시 실현되어야 한다는데 관여국가들과 의견을 같이 합니다. 중국의 한반도 주요 정책목표가 평화와 안정을 유지하는데 있기 때문입니다. 그런데 북한이 핵과 ICBM 개발을 지속하는 한 한반도에 평화와 안정은 기대하기 어렵습니다.

둘째 중국은 대북제재와 압박이 북한의 비핵화를 달성하는 수단으로 사용하는데 동의하지만 북한 김정은 통치체재 붕괴를 목적으로 이용되는 데에는 반대합니다. 김정은 정권의 붕괴로 이어질 경우 북한 난민의 중국으로의 유입, 그로 인한 한반도 정세의 불안정을 우려하는 것이지요. 중국의 안보적 이해와 국익에 정면으로 배치됩니다. 그래서 중국은 대북제재와 압박이 오로지 북한을 6자 회담의 장으로 유도하는 수단으로 국한되어야 한다는 입장을 견지해왔던 것입니다.

셋째 중국은 비핵화를 수용한 이후에도 계속 북한이 주권국가로 존속되기를 원합니다. 북한이 담당해온 중국과 남한 간의 완충지대의 역할을 지속해주기를 원하는 것입니다.

넷째 중국은 남북한이 공동의 경제적 번영을 통해 한반도와 동북아시아의 역동적인 경제발전을 이끌게 되기를 원합니다.

마지막으로 중국은 북한 비핵화의 실현이 한반도에서 미국의 군사적 영향력의 확대로 발전하는 것을 원치 않습니다. 다시 말해 중국은 북한의 비핵화 실현과 동시에 한반도에서 미국의 군사적 영향력이 줄어들기를 원하고 있습니다.

중국을 통한 전략이 성공하기 위해서는 미국이 중국의 이 같은 전략적 이해를 정책안에 반영해야 합니다. 대북 비핵화정책의 핵심목표를 북한이 '자생력을 갖춘 주권국가'로서 생존할 수 있는 기회를 부여하는데 초점을 맞춰야 한다는 겁니다.

북한의 비핵화(CVID)가 이루어질 경우 미국은 남한에 미군을 주둔시킬 대외적 명분을 잃게 되지요. 그래서 필자가 미국의 대북 비핵화정책 안에는 비핵화가 실현되는 동시에 한반도로부터 미군철수가 포함되어야 한다고 보는 이유입니다. 그래서 필자가 키신저 박사가 지적한 것처럼 미군철수가 중국의 공조를 얻기 위한 정책변수로 고려되어야 한다고 주장하는 이유입니다.(주: "How to resolve North Korean crisis." WSJ 2017. 08. 11)

'타의에 의한 불가피한 공조'란 어떤 상황인가요? 미국이 중국을 강제할 수 있는 수단을 보유하고 있다는 것인가요?

그렇습니다. 미국은 중국의 공조를 유도할 수 있는 압박수단을 보유하고 있습니다. 먼저 미국은 중국이 표방하고 추구해온 '하나의 중국 정책(one China Policy)'에 대한 지지와 협조를 철회할 수 있습니다. 대만과의 외교적·군사적 관계를 강화할 수 있다는 것이지요.

그 뿐만 아니라 대중무역에 대해 미국은 중국에 보복을 단행할 수 있습니다. 중국 남단에 위치한 7개 섬들의 영유권 문제 등도 제기할 수 있습니다. 간접적 수단으로 대북 전쟁억제력을 강화하기 위한 제반 조치를 취할 수 있습니다. 한미, 한미일 연합군사훈련 강화, 한반도에서의 미사일 방어체계 강화, 한반도 주변에 미국의 첨단 무기 배치 등을 시도할 수 있습니다. 이들 첨단무기 중에는 스텔스 전투기를 포함한 핵 잠수함, 핵 항공모함 등이 포함될 수 있어요.

미국은 또한 일본과의 군사동맹관계를 강화하고 일본의 재무장을 지원할 수 있습니다. 북한과 중국 간의 무역 및 은행거래를 차단하기 위해 세컨더리 보이콧(secondary boycott)도 적용할 수 있습니다. 앞서 언급한대로 선제, 예방 공격을 포함한 무력동원 의지를 천명할 수도 있습니다. 미국은 중국의 실질적인 참여와 동조를 촉구하기 위한 자발적 선의의 수단뿐만 아니라, 압박에 의한 불가피한 공조를 얻어낼 수 있는 모든 수단들을 동원할 것으로 보입니다.

중국이 대북압박을 가능케하는 핵심국가라면 남한의 역할은 무엇인가요? 남한의 실질적 협력과 공조 없이 미국이 북한의 비핵화를 이룩할 수 없는 이유가 있다면 그것은 무엇입니까?

그 이유는 미국과 중국이 동원할 수 있는 대북제재와 압박만으로는 북한이 비핵화를 수용할 수 없기 때문입니다. 북한은 핵 개발 프로그램이 체제생존과 직결되어 있다고 믿고 있습니다. 따라서 체제의 생존이 위협 당할 경우 북한은 체제붕괴의 위협을 감수하기보다 무력도발을 통해 강압적 협상을 모색할 가능성이 높습니다.

북한의 무력도발은 남북한 간의 군사적 대결로 이어지고 관여국가들을 끌어들여 한미일과 북중러 간의 군사적 분쟁으로 파급될 가능성이 매우 큽니다. 결국 위협과 함께 보상책이 동시에 주어져야 한다는 결론이 나옵니다.

북한이 비핵화를 수용하고 체제수호에 나설 경우 북한은 시장지향적 체제 개혁·개방을 통한 경제현대화를 하지 않고는 생존을 담보할 수 없습니다. 바로 이 대목에서 남한의 역할론이 도출됩니다. 북한경제의 현대화는 남한의 긴밀한 협력과 지원 없이는 이루어질 수 없다는 것이지요. 미국이 '당근'으로 비유되는 실질적 보상을 북한에 제공하려면 남한의 공조가 절대적으로 필요합니다. 그 점을 미국은 잘 알고 있습니다.

4

북한은 왜 핵 개발에
집착하는가?

그렇다면 북한이 전 세계의 비난과 제재 움직임에도 불구하고 그토록 집요하게 핵 개발에 전념하고 있는 동기와 배경은 무엇이라 생각하십니까?

북한은 핵무기 프로그램의 개발을 김정은 통치체제의 생존과 직결된다고 인식하고 있습니다. 그 이유는 다음 세 가지로 요약될 수 있을 것입니다.

첫째, 북한은 핵무기가 미국의 북한에 대한 무력침공을 방지할 수 있는 전쟁억지력(deterrence)을 위한 필수적인 수단이라고 믿고 있습니다.

둘째, 북한의 핵무기 개발은 김정은 정권 통치의 정당성을 증명하는 근거로 받아들여집니다. 잘 아시는 것처럼 북한은 '핵군사강국건설'을 김일성, 김정일 그리고 김정은으로 이어지는 통치체제가 이룩한 가장 위대한 '치적'으로 부각시켜 왔습니다.

마지막으로 핵무기 개발은 북한의 국가발전전략의 두 핵심축을 이루는 '핵군사강국건설'과 '경제부국건설'을 동시에 추진하는 병진노선의 한 축을 이루고 있습니다. 북한은 미국의 핵우산의 보호를 받고 있을 뿐만 아니라 경제적으로 월등한 경제력을 보유한 남한과 대치하고 있습니다. 그래서 군사적 균형을 유지하기 위해서는 핵무기 개발이 필수적이라고 믿고 있는 것입니다.

이 세 가지가 북한으로 하여금 그토록 집요하게 핵 개발을 추진하게 하는 기본 요인이라 볼 수 있지요. 오바마 대통령은 이처럼 북한이 왜 핵을 보유하려 하는가에 대한 이해가 부족했습니다.

중국의 개혁·개방 그리고 소련의 붕괴 등 역사적인 배경이 북한의 핵 개발정책과는 어떤 관련이 있는 것일까요?

소련 및 동구권 사회주의체제의 와해와 1978부터 덩샤오핑에 의해 주도된 중국의 시장지향적 개혁·개방의 추진은 이들 국가들과 강력한 군사적 그리고 경제적 유대관계를 유지해왔던 북한에게 엄청난 충격을 주었습니다.

1991년에 소련에서 사회주의체제가 붕괴됨에 따라 북한은 그때까지 소련에게 의존해오던 군사무기의 지원과 핵 억제력의 보호를 잃게 됐습니다. 이것은 남한이 미국 핵우산의 보호 하에 있는 것과 대조적인 상황에 직면한 것이지요. 1995년 9월 7일 러시아는 러시아의 모체인 소련과 북한 간에 1961년 체결한 동맹조약(소·북 우호협조 및 상호원조조약)의 갱신을 거부했습니다.

2000년 2월 9일에 새로 조인된 북·러 우호선린협력조약에도 과거의 이념적 연대조항과 자동군사개입 조항이 삭제됐지요. 중국의 시장지향적 시장개혁 개방은 전통적 사회주의체제에 주체사상을 접목시켜 수령제를 확립한 북한과 이념적 반목과 갈등을 야기했습니다.

시간이 흐름에 따라 북·중 관계는 소홀해진 반면 러시아(당시 소련)와 중국은 한국과 1990년, 1992년 각각 수교를 맺게 됩니다. 한·중 관계는 돈독해져 급기야 전략적 동반자관계로까지 발전했습니다. 이렇게 해서 종전의 사회주의 국가들이 모두 북한의 곁을 떠난 것이지요.

2002년 8월 북한의 외교부장 김영남은 당시 유엔인도주의 사무차장이던 오사마 겐조와의 회담에서 '이제껏 소련에 기대온 일부 무기를 우리 스스로 마련하는 수밖에 다른 도리가 없게 만들었다'고 북한의 괴로운 심경을 토로한 적이 있었습니다. 러시아, 중국과의 관계 변화가 북한이 핵 무력의 개발을 추진하게 된 중요한 역사적 배경이라 할 수 있습니다.

5

북한은 왜 핵무기 대신
경제발전을 선택해야 하는가?

지금까지의 말씀을 종합해 보면 북한이 핵을 포기함으로써 얻게 될 보상에 대한 약속을 5자 관여국이 어떻게 제안할 수 있느냐가 북핵해결의 핵심 관건이란 걸 알게 됩니다.

북한이 핵을 포기하고 핵 없는 국가로 생존할 수 있는 진정성 있는 기회의 보장이 양자택일의 형식으로 주어져야 합니다. 5자 관여국들이 공동으로 북한이 비핵화를 수용하는 반대급부를 제시해야 한다는 것이지요. 다시 말해 북한이 국제사회의 규범을 준수하고 경제 자생력을 갖춘 신흥국가로 변신할 기회를 부여해야 한다는 것을 의미합니다.

나중에 다시 상세히 언급하겠지만, 북한은 미국을 위시한 5자 관여국들에 의한 체제안전 보장만으로는 핵을 포기할 생각이 없습니다. 왜냐하면, 비핵화의 수용은 북한 국가발전의 두 개의 핵심축을 이루는 '핵군사강국건설과 경제부국건설'을 동시에 추진해온 병진노선의 포기를 의미하기 때문이지요.

그뿐만 아니라 북한의 핵무기 개발 프로그램은 김정은 통치자의 집권을 합리화하고 정당화하는 이른바 정통성 문제와 직결되어 있습니다. 따라서 북한의 비핵화를 수용할 경우 핵 없는 국가로 생존할 수 있는 유일한 길은 동태적, 지속적 경제발전을 통해 체제에 대한 정당성을 확보하는 일입니다.

북한이 비핵화의 수용이 체제붕괴를 막고, 경제부국으로 도약하기 위해서는 어떤 조건이 선행돼야 한다고 생각하십니까?

먼저 경제체제에 내재하는 모순과 결함을 제거하고 국제사회와의 경제적 통합을 위한 시장지향적 개혁·개방이 단행되어야 합니다. 또한 시장지향적 개혁·개방 과정에 야기되는 불안정 요인들을 조정 통제하고 동태적·지속적 경제성장을 이룩하기 위해서는 경제현대화 과정에 필요한 재원을 확보할 수 있어야 합니다.

북한이 시장지향적 개혁·개방을 단행하여 동태적·지속적 경제 성장을 이룩할 수 있는 경제기반을 구축하는데 최소한 10년의 시간이 소요되고 3,000억 달러 규모의 경제개발기금이 필요할 것으로 추정됩니다. 이 기금을 제공할 수 있는 나라는 오직 남한뿐인데, 이에 대해서는 더 상세한 언급이 필요합니다.

논의를 더 진전시켰으면 합니다. 남한은 왜 북한의 시장지향적 개혁을 통한 경제현대화를 지원해야 하는 것일까요?

앞서 미국은 북한의 핵무기 개발 프로그램을 평화적으로 해결할 수 있는 전략적 구상과 합리적 대북정책안을 갖고 있지 않다고 지적한 바 있습니다. 미국의 핵심 정책수단인 선제공격이나 경제제재와 압박만으로는 북한의 비핵화를 실현할 수 없다는 것은 자명합니다.

선제공격 등 미국의 핵심 정책수단이 현실화될 경우 한반도에는 비극적 재난이 닥칠 수 있기 때문이지요. 이와 같은 재난을 피할 수 있는 길은 북한이 체제 생존을 모색할 수 있도록 경제현대화 과정에 필요한 재원을 공여하는데 있습니다. 이 부담은 남한의 몫입니다. 북한의 경제현대화가 중국의 재정적 지원과 성지석 배려로 이루어실 경우, 북한은 영구석으로 중국에 의손하는 위성국가로 전락할 수 있다는 점을 잊어서는 안 됩니다.

위에서 언급한 바와 같이 1989년 가을 서독의 헬무트 콜 수상이 동독을 향해 시장경제를 도입하는 조건으로 재정적 지원을 약속하고, 정치적 (흡수)통일을 시도하지 않겠다고 대내외에 천명한 것을 주목해야 합니다. 남한도 북한이 핵을 포기하고 시장경제를 도입하는 조건으로 북한을 재정적으로 지원하고 흡수통일을 시도하지 않겠다는 의지를 대내외에 천명해야 합니다.

여기서 반드시 지적해야 할 점은 북한 정권의 붕괴가 곧 평화적·정치적 통합의 길을 열어주는 것은 아니라는 것입니다. 김정은 정권의 돌발적인 붕괴는 한반도에 극심한 혼란과 재난을 불러오게 된다는 것을 잊어서는 안 됩니다.

북한이 돌발적으로 붕괴한다고 해도 그것이 즉각적인 (흡수)통일을 의미하는 것이 아니란 뜻인가요?

북한의 대다수의 인민들은 남한에 의한 흡수통일을 원치 않습니다. 또한 그들은 시장경제체제에 적응할 능력도 갖추고 있지 못합니다. 남한에 의한 일방적 흡수통일은 북한 인민들에게도 뼈아픈 시련과 좌절을 안겨주겠지만 남한에도 엄청난 고통을 줄 것입니다.

만약 북한 붕괴로 인해 남한에 의한 정치·경제적 통합(흡수통일)이 이루어질 경우, 북한의 개발비용은 북한이 자립적으로 시장경제를 도입해 경제현대화를 이룩하는 것보다 훨씬 높아집니다. 동서독의 정치적 통합과정에서 체험한 것처럼 남한은 북한의 실업자, 환자 및 노인들을 위한 사회보장 프로그램(social entitlement program)에 보다 많은 재원을 할당해야하기 때문이지요.

반대로 북한이 시장지향적 개혁·개방을 추구할 경우 남한은 어떤 이익을 얻을 수 있을까요?

북한이 시장경제를 추구할 때 가장 큰 수혜국은 남한입니다.

첫째는 남·북한간 희생이 큰 군비경쟁의 덫에서 탈피할 수 있습니다.

둘째는 남한은 저성장의 늪에서 벗어나 다시 한 번 경제도약의 기회를 맞게 될 것입니다. 남한이 북한에 제공하는 개발기금의 대부분은 남한의 기업들의 참여로 이루어지게 될 인프라 건설입니다.

북한이 비핵화를 수용하고 남한의 경제적 지원 하에 시장지향적 개혁개방을 통한 경제현대화를 시도한다면 남한, 중국 및 카자흐스탄이 도약기간 중 달성한 연평균 경제성장률을 능가하는 괄목할만한 역동적 경제성장을 달성할 수 있다는 데에는 의심의 여지가 없어요.

남북한의 소득격차가 워낙 현격해 지금 당장의 통합은 바람직하지 않다는 말씀인가요?

소득 격차가 줄어들지 않는 한 남북한 간의 갈등과 반목은 해소할 수 없습니다. 2016년 한국 통계청이 발표한 통계자료에 의하면 남한과 북한의 1인당 소득은 3,094만 원(약 28,000달러)와 139만 원(약 1,200달러)로 추정됩니다. 남북한 간의 개인당 소득의 격차가 22배에 달한 겁니다.

북한의 개인소득은 시장경제를 도입해 신흥경제국으로 부상한 기존 사회주의 국가들보다도 현격히 낮습니다. 예컨대 베트남의 개인소득 2,111달러, 카자흐스탄 10,510달러, 중국도 8,070달러에 도달했습니다. 소득 양극화가 해소되지 않는 한 화해와 협력을 위한 남북한 간의 평화공존은 성립될 수 없습니다.

김정은 정권이 긍정적 변화를 통해 체제생존의 진정성 있는 기회를 부여받았음에도 불구하고 이를 거부할 경우, 어떤 일이 벌어질까요?

5자 관여국은 공동으로 김정은 정권의 교체를 모색할 수 있는 객관적 명분과 정당성을 확보하게 됩니다. 김정은 위원장에겐 비극적인 결말이 다가온다는 뜻입니다. 기본적으로 북한은 실패한 국가입니다. 정치·사회적 현실과 국가의 공식 지도이념 간에는 화해할 수 없는 부조리와 모순이 존재하기 때문이지요. 그 모순과 부조리는 핵무기 개발로 인한 외적 경제제재와 압박으로 인해 심화됐습니다.

북한이 직면한 위기의 본질을 명확히 인식해야 합니다. 그것은 외적 무력침공의 위협으로 야기된 것이 아니라, 내적 모순과 부조리로 인한 내적 파멸(implosion)의 위협에서 비롯된 겁니다. 외적 경제제재와 압박이 모두 사라진다 해도 체제 내적 모순과 부조리는 그대로 잔존하는 것입니다.

이 같은 결함을 개선하고 치유하지 않는 한 북한은 만성적 궁핍과 낙후에서 탈피할 수 없어요. 북한이 한반도의 평화와 안정을 저해하고 동북아의 경제적 번영을 가로막는 걸림돌이 된다는 의미입니다. 김정은 정권이 국제사회의 규범을 준수하지 않고, 경제신흥국으로 변신하기를 거부할 경우 중국은 김정은 정권의 교체를 위한 종군(campaign)에 앞장설 수밖에 없을 겁니다.

그런 측면에서 '북한은 중국의 전략적 자산이었지만 김정은 정권은 중국의 부담'이란 지적이 설득력을 얻습니다. 중국은 북한을 여전히 필요로 하지만 변화를 거부하는 김정은 정권은 골치 덩어리일 수밖에 없습니다.

북한이 끝내 변화를 거부하면 중국도 등을 완전히 돌릴 것이란 전망이 가능할까요?

정권교체가 조선민주주의인민공화국 주권의 붕괴를 목적으로 하지 않는 한, 중국은 정권교체에 반대하지 않을 것으로 봅니다. 북한이 핵 포기를 대가로 체제생존을 모색할 수 있도록 모든 정치·경제적 지원과 협조를 보장하자는 것입니다. 김정은 정권이 이 같은 제안을 거부할 경우 남한은 5자 관여국과 공동으로 새로운 통치자(집단지도체제 포함)의 부상을 위한 길을 적극 모색해야 합니다. 비핵화를 수용하고 시장경제를 도입해 경제현대화를 추진할 주체세력의 등장을 도와야 한다는 것입니다.

남북이 화해하고 북한이 시장지향적 개혁·개방을 단행하기 위해서는 김정은 정권이 어떤 체제 변화를 도모해야 할까요?

대내외 정책의 기본성격을 규정하는 국가의 공식 지도이념이 변화하지 않는 한 남북한 간의 실질적인 화해와 협력이 불가능합니다. 남북한 간의 관계가 상호 신뢰와 협력을 위한 관계로 변화하기 위해서는 무산계급의 독재, 생산수단의 국가 소유, 관료주의 통제, 수령관과 유일영도체제, 집단주의 가치관 그리고 전체주의로 집약되는 국가의 공식 지도이념인 주체사상이 변화해야 합니다. 국가의 공식 지도이념이 변화하지 않고는 북한의 경제현대화를 위해 필수적인 시장지향적 개혁·개방을 단행할 수 없다는 말입니다. 1989년 서독의 콜 수상이 동독이 시장경제를 수용하는 전제조건으로 경제개발기금의 공여를 제의한 것도 같은 맥락에서 이해되어야 합니다.

6
주체사상,
그 이후의 대안은 없는가?

북한은 공식 통치 지도이념을 좀처럼 포기하지 않으려 합니다. 주체사상의 본질을 어떻게 이해해야 합니까?

북한에서 주체사상은 전통적 사회주의 이념을 창의적으로 발전시킨 '완벽한' 사상체계로 받아들여집니다. 주체사상의 본질을 이해하려면 전통적 사회주의 체제의 핵심을 잘 알아야 합니다.

공산당이 정권을 잡게 되면 모든 생산수단이 국가소유로 귀속되고 중앙집권직 통제경제계획이 실시됩니다. 국가가 모든 생산수단을 점유하고 있음으로써 국가가 중앙집권적 경제계획에 따라 기업소에서 생산한 물품을 국영유통상점을 통해 분배하는 순환 유통체제가 확립됩니다. 사상교화, 배급제도, 형사처벌을 수반한 관료주의 통제기능이 가동해 전체주의가 완성됩니다.

북한은 이 사회주의체제에 주체사상이란 체계화된 이념을 접목시켰습니다. 주체사상의 핵심은 '모든 활동의 주체는 인민대중'이란 슬로건입니다. 인민대중이 주체의 역할을 완수하기 위해서는 '위대한 수령의 영도를 필수'로 합니다.

수령의 명령에 절대복종하고 하나와 같이 움직이는 유일영도체계입니다.

다시 말해 '전체가 하나를 위해 하나가 전체를 위해' 움직이는 집단주의 가치관이라 할 수 있지요. 북한식 전체주의체제 하에서는 인간이 중요하다고 여기는것 뿐만 아니라 인간의 내면적 가치관을 포함하여 일상의 사소한 일까지 규제받게 된다는 것을 의미합니다.

이 같은 체제 하에서 남북한 간의 호혜성의 원칙에 입각한 경제협력이 가능하겠습니까? 남한이 개발기금을 공여한다 해도 경제현대화에 긍정적으로 기여할 수 없을 것입니다.

북한의 주체사상과 유일영도체계가 존재하는 한 개성공단 같은 경제협력도 북한 경제현대화에 기여할 수 없다는 뜻인가요?

개성공단은 남북한 간의 남북교류협력의 일환으로 2003년 문을 열었습니다. 개성공업지구관리위원회가 개성공단에 총 1조 190억 원을 투자한 것으로 집계되고 있습니다. 2016년 초 폐쇄될 때까지 124개 입주기업들이 참여했고, 총 5만 6천 명 이상의 북한 근로자들이 취업했습니다. 각종 보험료를 가산하지 않은 실질 평균임금은 월 141.1달러입니다.

개성공단의 근로자들은 남한기업과 북측이 합의해 고용됩니다. 근로자의 수, 임금, 보험과 토지사용료 등이 이 협상 안에 포함됩니다. 우리 기업은 합의에 따라 총납입액을 북한당국에 납부합니다. 이를 수령한 북한당국은 전체임금의 일부를 북한 근로자에게 내국환으로 지급합니다.

정확한 내역은 잘 알려져 있지 않지만 당국이 수령한 액수 중 약 30%만이 근로자의 임금으로 지급됐다고 합니다. 국가가 환수한 70%의 금액만큼 근로자들의 소비와 저축이 감소될 수밖에 없습니다. 따라서 지역경제발전의 기여도도 감소합니다.

북한 노동자들은 남한기업인과 개인접촉이 철저히 금지돼 있습니다. 북한 근로자들은 남한의 입주기업을 방문해 현지실습을 할 수 있는 기회도 가질 수 없습니다. 노동 생산성 향상의 기회가 근본적으로 차단돼 있습니다.

이처럼 공단의 병영화로 기업설립의 부수효과는 기대하기 어렵습니다. 남북한 합작기업 설립을 통한 기술이전, 경영지식의 전수, 마케팅 네트워킹의 지식도 전수받을 수 없지요. 당연히 남한 입주기업을 대체할 북한의 경쟁업체도 배출할 수 없습니다.

외국투자를 유치하는 데에도 한계가 있습니다. 모든 노사 간의 문제점들을 진부한 관료주의적 협의를 통해 정치적으로 해결해야 하는 부담도 안게 됩니다. 사상적 오염을 철저히 차단해야 하는 체제, 개인의 경제활동의 자유를 허용하지 않는 체제, 개인기업이나 합작기업을 금지하는 체제입니다. 이렇게 소수의 안녕과 복지를 위해 다수가 희생되고 착취당하는 체제에서는 세계경제와의 통합을 통한 경제현대화는 도저히 이룰 수 없는 꿈에 불과한 것입니다.

개성공단이 외국기업의 투자공업단지로 북한의 경제발전에 긍정적인 역할을 하기 위해서는 어떤 조치가 이뤄져야 할까요?

자유노동시장의 도입이 필요합니다. 다시 말해 고용, 해고, 임금 등이 시장원리에 따라 결정되어야 합니다. 외국의 투자를 유치하기 위해 합작투자, 토지임대, 과실 송금, 도산 및 매각 등에 대하여 시장원칙에 준하는 법 제정이 필요합니다. 출입국과 경제활동에 대한 자유도 보장해야지요. 사유기업, 합작기업과 함께 지방정부와 사유기업이 합작하는 향촌기업의 설립 허용 등이 포함되어야 합니다.

국가의 공식 지도이념을 포기하면서까지 과연 김정은이 개혁, 개방을 시도할 수 있겠느냐는 의문이 제기될 수도 있겠습니다.

북한 사회는 이미 김일성 주석이 창시한 공식 지도이념인 주체사상의 지침에 따라 구현된 사회가 아닙니다. 따라서 북한이 비핵화를 수용하고 핵 없는 국가로 체제생존을 보존할 수 있는 길은 체제개혁·개방을 통해 경제현대화를 이룩하는 길입니다.

5자 관여국들은 김정은에게 양자택일을 하도록 제안해야 합니다. 대북제재와 압박으로 정권의 퇴출 위협을 감수하거나, 아니면 비핵화를 수용하는 대가로 체제생존의 진정성 있는 기회를 보장받는 것 중 선택하라는 제안이지요. 이 제안은 일괄타결의 성격을 갖추어야 합니다. 뿐만 아니라 거래(transaction)와 변화(transformation)를 위한 조건이 동시에 충족되어야 한다는 것을 의미하기도 합니다.

구체적으로 그 일괄타결의 내용과 방식은 어떻게 제시할 수 있을까요?

북한은 핵폭탄, 대륙간 탄도미사일, 화학무기를 포함한 모든 공격용 비대칭 무기의 폐기를 이 일괄거래의 대상으로 포함시켜야 합니다. 또한 국제원자력기구(IAEA)의 핵사찰을 무제한 허용하여야 합니다. 북한이 준수하고 이행해야 할 변화(transformation)의 의무에 대한 조항이 포함돼야 할 겁니다. 시장지향적 개혁·개방을 통한 경제현대화의 착수, 국제사회의 규범을 준수하고 책임 있는 일원으로 변신해야 하는 내용 등도 받아들여야 합니다.

북한과 5자 관여국 간의 합의문의 유효기간은 최소한 10년으로 설정해야 한다고 생각합니다. 그 이유는 시장지향적 개혁·개방을 통한 경제현대화를 위한 지원과 핵 폐기 과정은 단기간에 완수할 수 없기 때문입니다.

만일 북한이 이 같은 안을 실천에 옮긴다는 것이 확인된다면 관여국들은 어떤 타협안을 북한에 제공할 수 있겠습니까?

먼저 유엔안보리가 채택한 대북제재와 관여국들이 독자적으로 채택한 모든 경제적, 외교적 제재를 철회해야 할 것입니다. 북한에 대한 전쟁억제력 향상을 목적으로 하는 한미연합군사훈련도 중지해야 합니다. 체제보장과 경제현대화 작업을 지원하기 위해서는 현재 정전협정을 남북 평화조약으로 대체해야 합니다. 남북한 군사비 삭감을 통해 저축된 재원을 북한 경제현대화에 활용해야겠지요.

남한은 현재 GDP의 약 2.5%에 해당하는 340억 달러를 군사비에 할당하는 반면, 북한은 GDP의 약 20~25%에 해당하는 70~75억 달러를 군사비에 사용하는 것으로 추정되고 있습니다. 남한은 1국가 2체제 원칙을 존중하고, 남한에 의한 일방적인 정치적 통합을 목적으로 하는 흡수통일을 기도하지 않겠다는 것을 보장하여야 합니다.

북미 수교, 북일 수교가 뒤를 이을 텐데 북일 수교를 체결할 때는 미결상태로 남아있는 북한에 대한 전쟁 보상(200~300억 달러)이 제공돼야 합니다. 완전하고 검증 가능하며 돌이킬 수 없는 비핵화가 달성되면 남한에서 미군과 미군이 보유하고 있는 모든 군사무기도 철수돼야 합니다.

가장 핵심적인 사안, 즉 남한이 북한에 지원하는 경제적 지원의 규모는 어떤 수준이 적합합니까?

남한은 북한의 시장지향적 개혁 · 개방을 지원하기 위한 일환으로 10년 동안 연간 300억 달러씩 총 3,000억 달러를 경제개발기금으로 제공해야 할 것으로 추정합니다. 연간 지원하는 300억 달러 중 100억 달러는 인력 개발, 노동력 동원, 사회보장을 위해 현금으로 지급하고 나머지 200억 달러는 인프라 건설을 지원하기 위해 바우처(voucher, 현금 대용의 상환권)로 지급하는 게 좋다는 생각입니다.

경제개발기금의 상당 부분은 남한이 공여해야 합니다. 북한이 국제금융기관으로부터 차관을 통해 추가 재원을 마련하도록 협조하는 것도 중요합니다. 결국 남한이 중심이 되어 북한의 시장지향적 개혁·개방에 필요한 전문지식 등 모든 기술을 지원하는 것도 매우 핵심적인 사안입니다.

북한이 핵 없는 국가로도 생존할 수 있는 비전을 제시받지 못하는 한 비핵화를 수용할 수 없는 이유는 무엇인가요?

북한이 핵 개발 프로그램을 시작하게 된 가장 중요한 동기는 미국의 무력침공에 대한 억제력을 보유하는데 있었습니다. 핵이 통치권력 생존을 담보하는 유일한 수단이라고 믿고 있는 것이지요. 북한은 이라크, 리비아 및 동구권 사회주의 국가들이 붕괴된 직접적인 원인은 이 국가들이 핵 무력을 주축으로 한 군사억제력을 보유하는데 실패했기 때문이라고 보고 있습니다. 따라서 북한이 비핵화를 수용하기 위해서는 체제보장의 일환으로 미국과의 수교가 반드시 포함되어야 하는 것입니다.

여기서 반드시 지적해야 할 점은 김정은 통치체제의 안전이 보장된다 하더라도 북한이 비핵화를 수용할 수는 없다는 점입니다. 북한에서 핵은 김정은 정권을 합리화하는 정당성의 문제와 직결되어 있기 때문입니다.

핵으로 무장한 군사강국 건설은 김일성-김정일-김정은으로 이어지는 통치체제의 정통성을 담보하는 유일한 업적으로 간주됩니다. 2012년 4월 13일 개정한 북한의 헌법 서문에도 명시돼 있습니다. '김정일 동지의 선군정치로 핵을 보유한 무적의 군사강국으로 변전시켰다'는 선언입니다. 핵 프로그램의 포기는 정권의 유일한 정당성의 상실입니다. 아울러 선군노선과 경제건설을 동시에 추진하는 병진노선의 포기를 의미합니다.

북한이 핵 프로그램을 포기할 경우 김정은 정권의 정당성은 어디에서 찾을 수 있을까요? 바로 시장지향적 체제개혁·개방을 통한 경제현대화에서 찾을 수밖에 없습니다. 남한에 의한 북한체제의 보장, 경제현대화 과정에 소요되는 경제개발기금의 지원 약속이 핵 프로그램 폐기의 가장 중요한 전제가 되는 이유입니다.

북한은 핵 보유를 김정일, 김정은으로 이어지는 북한 통치체제의 가장 위대한 업적으로 부각하는 것처럼 보이기도 합니다.

핵 보유는 북한의 국가발전 전략의 양대 축을 이루고 있습니다. 경제 강국과 군사 강국, 그 두 개의 목표 중 하나라고 볼 수 있습니다. 2012년 4월 13일 개정된 조선민주주의인민공화국 사회주의 헌법의 서문에는 '김정일 동지께서 우리 조국을 불패의 정치 강국으로 전변시켜 강성국가 건설의 휘황한 대통로를 열었다'고 천명하고 있습니다.

2013년 3월 31일 조선노동당위원회 전체회의를 개최한 자리에서도 북한은 병진노선을 채택합니다. 이 자리에서 '경제건설과 핵 무력 건설을 병진시켜 사회주의 강성국가의 위업을 이룩할 것'을 다짐했습니다.

핵 실험을 통해 핵 억지력을 보유함으로써 경제대국 건설에 집중할 수 있게 됐다는 논리로 풀이할 수 있습니다.

그 무렵 북한의 「조선신보」는 '초점은 조미핵전쟁의 처리방식: 군사대결의 청산을 위한 대화와 협상'이라는 제목 하에 '강력한 핵 억제력을 평화의 담보로 경제부흥을 본격화' 할 것임을 피력했습니다. 만성적 경제적 빈곤과 낙후를 핵개발을 통해 합리화하려는 의도가 보입니다. 통치체제의 정통성을 정당화하기 위한 빼놓을 수 없는 위업으로 핵을 부각시키고 있는 것입니다.

여기서 지적해야 할 점은 북한에서 김정은 통치자의 정통성(Legitimacy)은 김일성 주석이 창시하고 집대성한 공식 통치지도이념인 주체사상을 구현하는 수행자(Executor)로서만 보장된다는 점입니다. 따라서 시장지향적 개혁·개방을 통한 경제현대화 작업은 김정은 통치자의 정당성이 주체사상의 집행자가 아닌 인민의 보다 나은 복지와 염원을 실현하는 지도자의 모습에서 찾아야 한다는 것을 의미합니다.

CVID(완전하고 검증가능하며 불가역적인 핵 폐기: Complete, Verifiable, Irreversible Dismantlement)는 북한에게 어떤 의미가 있는 것일까요?

북한이 비핵화를 수용했을 때, 북한 통치체제의 안정성에 어떤 영향을 미칠 것인가를 살펴봐야 합니다.

북한이 핵 개발 프로그램에 착수하게 된 경위는 앞서 지적한 것처럼 ① 중국, 러시아와의 군사동맹이 이완된 상황 하에서 미국의 대북 무력침공에 대한 억지력을 확보하고, ② 남한에 비해 상대적으로 열악한 경제력을 지닌 북한이 남북한 간 군사력 균형을 유지하기 위해 최소한의 경비로 효율적 전쟁억지력을 보유하며, ③ 핵을 보유한 군사강국을 건설함으로써 이를 김일성, 김정일 그리고 김정은으로 이어지는 통치체제의 위대한 치적으로 부각시키는데 그 목적이 있습니다.

비핵화의 수용은 핵 개발의 의도에 내재하는 3가지를 모두 포기한다는 것을 의미합니다. 동시에 국가건설의 핵심 전략인 핵과 경제 병진노선의 포기를 의미하는 것이기도 하지요. 전쟁억지력과 통치 권력의 유일한 업적을 포기하는 결과를 부르는 것입니다.

북한의 비핵화로 김정은 통치체제가 해결하기 어려운 두 가지 장벽에 직면하게 될 겁니다 먼저 그가 유일한 치적으로 부각시켜온 핵 보유 군사강국의 명분을 포기해야 한다는 것을 의미합니다.

따라서 핵 보유 군사강국의 명분을 포기할 경우 이를 무엇으로 대체할 것인가 하는 문제에 봉착하게 됩니다. 또한 북한은 핵 프로그램을 북한 인민들을 통합하고 결속하는 주요 수단으로 이용해왔습니다. 적대적인 외세의 무력침공의 위협에 직면해 있다는 위기의식을 고조시켜왔던 것이지요.

체제보위를 위해서는 인민의 끊임없는 희생과 인내가 필요하다는 것을 강조했습니다. 북한이 비핵화를 수용할 경우 김정은 통치체제는 인민들의 통합과 결속을 위한 새로운 수단을 모색해야 하는 부담을 지게 됩니다.

북한이 어떤 조건 하에서 비핵화를 수용해야 체제를 유지시킬 수 있을까 하는 점이 북핵문제 해결의 핵심적인 사항입니다. 먼저 김정은은 핵 억지력을 대체할 수 있는 통치체제의 안전장치를 마련해야 할 것입니다.

제도적 조치와 보장, 체제안보를 위한 보장 안에는 북·미 수교, 남·북한 평화조약, 북·일 수교 및 북·중 동맹과 북·러 동맹의 재확인 등이 포함되어야 합니다. 동시에 북한의 지속적이고 동태적인 경제발전을 지원하기에 충분한 재정적 지원이 필요합니다.

북한의 비핵화의 수용이 체제붕괴로 이어지는 것을 막으려면 북한은 핵을 포기하는 대가로 경제발전을 이룩할 수 있는 충분한 재원을 공여받을 수 있어야 합니다.

7

5자 관여국의
대응전략

북한과 5자 관여국은 각각 어떤 입장과 정책목표를 갖고 있는 것일까요?

5자 관여국은 북한이 비핵화(CVID)를 위한 6자 회담에 진정성을 가지고 참여할 것을 희망합니다. 미국과 한국, 일본은 이 협상을 통해 북한이 비핵화(CVID)를 수용하고, 국제사회의 책임 있는 일원으로 변화하기를 원하는 것이지요.

2016년 7월 7일자 「노동신문」은 미국의 북한에 대한 핵 위협 제거의 의미를 상세히 기술하고 있습니다. 그것은 4가지로 요약되는데 ①북한에 대한 핵사용 금지 보장, ② 미국 타격 수단의 한반도 투입 금지, ③ 남한 내 미국 핵무기 전면 공개, ④ 남한 내 핵무기 기지 전면 철폐 등입니다.

2004년 6월 열린 제4차 6자 회담에서 북한이 핵 포기의 대가로 제기한 내용을 보면 그것은 북미관계 정상화, 북한의 비핵화에 따른 경제손실에 대한 보상, 미군철수 등입니다.

여기서 반드시 지적해야 할 점은 북한은 공식 매체를 통해 북한의 핵이 협상의 대상이 될 수 없다는 점을 직간접적으로 시사해왔다는 점입니다.

북한은 2013년 1월 외무성 성명을 통해 '미국의 비핵화를 포함한 세계의 비핵화를 완전무결하게 선행해나갈 때 조선반도의 비핵화도 있고 우리의 평화와 안전도 담보될 수 있다는 것이 우리 군대와 인민이 찾은 최종결론'이라 주장한 바 있습니다.

핵 폐기 반대에 대한 이 같은 입장표명은 북한의 핵 무력이 북한체제의 생존을 담보할 수 있는 마지막 보루라는 인식에서 비롯됩니다. 비핵화 협상이 쉽게 타결될 수 없다는 점을 시사하는 것이지요.

그렇다면 5자 관여국들이 동원한 제재와 압박에 대응하기 위해서 북한은 어떤 전략적 수단과 조치를 동원할 수 있을까요?

5자 관여국들이 공동으로, 혹은 독자적으로 동원할 북한 비핵화를 위한 수단과 조치의 내용은 먼저 유엔안전보장이사회의 가결을 통한 대북제재를 들 수 있습니다.

유엔안보리 대북제재결의안 2270호에는 자원거래에 대한 제재, 화물검색, 무기수출 통제, 개인 단체에 대한 제재, 자원거래 제재, 사치품 거래에 대한 제재 및 금융제재 등이 포함되어 있습니다. 여기에 한·미·일 등이 독자적으로, 또는 공동으로 채택 적용할 수 있는 수단과 조치들이 있습니다. 물리적 수단뿐만 아니라 심리적 압박을 가하기 위한 여러 가지 수단을 동원하고 적용할 수 있습니다.

이 같은 제재와 압박에 대한 북한의 대응은 한계가 있습니다. 동원할 수 있는 전략적 수단과 조치들이 극히 제한적이라는 말입니다. 미사일과 핵 개발을 강행하면서 한·미·일 3국에 대해 군사적 무력보복을 감행하겠다고 위협하는 정도입니다. 북한은 지금까지 주로 한·미·일 3국에 대하여 수백 건에 달하는 군사적 무력보복 위협을 행사했습니다. 북한의 전략적 수단과 조치들은 이들 국가들에게 물리적인 피해와 타격을 주기보다 심리적 압박을 가한다는 점에서 제한적일 수밖에 없습니다.

결국 비핵화를 쟁점으로 현재 진행 중인 양 진영 간의 게임은 북한에게 불리하게 진행될 수밖에 없다는 결론이 도출됩니다. 그 이유를 보다 구체적으로 제시하신 다면?

북한은 5자 관여국 모두를 상대해야 하는 부담과 취약점을 안고 있습니다. 이들 5개국은 북한 핵이 각자의 이익과 전략적 이해를 저해한다는 공동의 인식 하에 동참한 나라들입니다. 유엔 대북제재도 북한 통치체제의 근간을 위협하는 요인이 됩니다.

지속되는 유엔제재로 인해 북한의 국민총생산은 매년 심각한 수준으로 하락하고 있습니다. 생필품을 포함한 식량 및 생산 원료의 수입 차질로 인플레이션이 파급되고 배급제도가 이완되고 있습니다.

또 국가 공식 경제 부문과 비공식 부문에 종사하는 근로자, 상인들 사이에 소득양극화 현상이 빚어지고 있습니다. 이렇게 되면 필연적으로 부패와 비리가 확산됩니다. 국내외 근로자들에 대한 착취가 심화됨에 따라 체제에 대한 불만이 고조되고 북한 체제를 이탈하려는 탈북민도 증가하겠지요. 국가가 공인하지 않은 정보가 확산되고, 그 같은 관료주의 통제기능 약화를 보완하기 위해 물리적 형벌이 확산될 것입니다. 인권침해가 더욱 빈번해지겠지요.

종합적으로 국가 공식 지도이념과 현실 간의 모순, 괴리의 심화로 북한 통치체제의 정당성은 심각하게 훼손될 것입니다. 또한 시간 역시 북한의 편이 아닙니다. 북한이 핵을 전술무기로 실용 배치하기 위해서는 핵폭탄의 소형화를 달성해야 합니다. 거기에 각종 중·장거리 탄도미사일도 개발해야 합니다. 북한이 이를 위해 실험을 강행할 때마다 북한에 대한 제재의 수위와 강도는 높아질 수밖에 없습니다.

북한의 경제적 규모를 반영하는 국민총생산은 지속적으로 하락하고 통치자금은 고갈될 것입니다. 미사일·핵 개발을 위한 재원조달이 경제·사회전반에 미치는 피해와 희생은 가속적으로 심화될 수밖에 없다는 것이지요.

시간이 흐를수록 북한의 전략적 입지와 운신의 폭은 좁아지고 악화될 수밖에 없습니다. 북한 통치자가 간과해서는 안 될 점은 북한이 직면한 위기의 본질입니다. 그것은 외적 무력침공으로부터 발생하는 위기가 아니라 공식 지도이념과 현실 간의 괴리로 인해 발생하는 체제 내의 붕괴의 위험입니다.

북한과 5자 관여국 양대 진영 간의 게임은 언제, 어떤 방식으로 종결될 것으로 예상할 수 있습니까?

북한은 미사일과 핵 개발에 대한 객관적이고 합리적인 전략적 목적이 결여되어 있습니다. 북한이 미국 본토를 공격할 수 있는 전술핵무기를 발전시킨다 해도 미국과 한국에 무력공격을 감행해 살아남을 확률은 희박합니다. 북한은 조만간 유엔 대북제재와 5자 관여국들이 독자적으로 가동, 적용한 제재로 북한 통치 권력의 생존을 위협하는 한계상황에 도달했음을 인식하게 될 것입니다.

북한이 체재생존이 위협당하는 극한상황에 직면했다고 인식할 경우를 상정해보지요. 북한은 체제붕괴 위협을 감수하거나 무력도발을 통해 5자 관여국들과 강압적 협상을 유인해야 하는 기로에 서게 될 것입니다.

북한 통치체제의 본질과 성격으로 보아 무력도발을 선택할 가능성이 높다고 볼 수 있습니다. 이와 같은 사태가 발생할 경우 이는 곧 한반도의 재앙으로 이어질 수 있습니다. 북한은 지도상에서 흔적조차 없이 사라지겠지만 그 과정에서 남한이 입을 피해도 역사상 유례가 없는 대재앙이 될 것입니다.

북중관계의 균열과 불화도 더욱 심각해질 것 같습니다. 두 나라의 불화는 어제오늘 일은 아닌 것 같습니다. 그 근원적 배경을 어떻게 설명할 수 있을까요?

먼저 중국이 시장지향적 개혁과 개방을 수용함으로써 야기된 북중 간의 공식 지도이념 간의 대립이 있습니다. 중국은 1978년 이후 덩샤오핑의 주도 하에 시장지향적 개혁·개방을 수용했습니다. 주체사상을 공식 지도이념으로 삼는 북한과 첨예한 이념적 갈등을 빚게 된 것이지요.

북한에서 망명한 장진성(Jang Jin-sung) 씨가 2014년 「경애하는 지도자(Dear Leader)」라는 제목 하에 영어로 출판한 저서를 보면 잘 나타납니다. 북한 당국은 중국을 북한 주민들을 끝없이 유혹하는 위험한 적으로 보고 있다는 것입니다.

북한은 이념적 차원에서 뿐만 아니라 국제관계의 차원에서까지 중국을 불신합니다. 중국이 북한을 배신했다는 뿌리 깊은 피해의식을 가지고 있습니다. 중국이 한중관계의 개선을 통해 경제교류를 확대해나가고 한중수교를 체결함으로써 중국이 한때 혈맹국가였던 북한을 배신했다고 보는 것이지요.

장진성 씨는 그의 저서에서 '김정일이 가장 증오하는 나라는 중국이다(The country Kim Jong-il hates the most is China)'라 단정해서 진술하고 있습니다. 오래 전부터 북한은 중국을 믿지 않았습니다. 외교부가 2016년 4월 17일에 공개한 1980년대 외교문서를 보면 김일성은 캄보디아 노로돔 시아누크를 만나 소련을 믿을 수 없고 중국 역시 믿지 않는다고 말한 것으로 알려졌습니다.

8
북핵문제를 바라보는
중국의 시선

중국의 한반도 정책과 북한의 핵 개발 정책 간에 내재하는 갈등과 불화, 그 본질은 무엇입니까?

중국이 추구하는 한반도 정책과 북한의 핵 개발 정책 간에는 타협할 수 없는 갈등과 불화가 내재합니다.

중국이 추구하는 한반도 기본정책은 ① 평화와 안정에 기초한 동북아시아의 경제적 번영을 위한 동반성장, ② 북한의 비핵화, ③ 한반도를 포함한 동북아시아 지역 내 미국의 군사석 영향력 확대의 견제로 요약됩니다.

북한의 장거리 미사일 및 핵 개발 프로그램은 한반도의 안정을 저해할 뿐만 아니라 이 지역 미국의 동맹국들, 특히 한국과 일본의 군사적 결속을 조장한다는 점에서 중국의 안보적 이해에 위배됩니다.

2016년 6월 22일 북한이 발사한 무수단 미사일과 관련하여 당시 백악관 대변인 조지 어니스트와 국방장관 애슈턴의 발언을 주목해야 합니다. 그들이 정례 브리핑에서 발표한 성명은 중국의 동북아시아에 있어서의 안보적 이해가 어떻게 손상되는지를 단적으로 반영합니다.

조지 어니스트 대변인은 '미국은 동북아시아 지역의 안전을 해치는 북한의 위협에 대응하기 위해 동맹국 특히 한국·일본과 협력을 강화해나갈 것이다'라고 천명했지요.

이어서 북한의 미사일 도발과 관련하여 애슈턴 미국 국방장관은 '미국의 주도 하에 아시아태평양지역의 우방을 위한 미사일 방어체제를 강화해나갈 것'임을 강조했습니다. 이에 따라 한반도에서 사드(THAAD) 배치에 박차를 가하게 된 것입니다. 중국의 안보이익을 해치는 구실을 북한 핵과 미사일 개발이 제공하고 있는 셈입니다.

오바마 대통령 당시 조 바이든 부통령의 발언도 같은 맥락에서 이해되어야 합니다. 그는 이렇게 발언합니다.

'유엔제재의 성패의 관건을 쥐고 있는 중국이 북한의 장거리 미사일과 핵 프로그램을 저지하지 못할 경우 일본은 북한에 대한 자체적 전쟁억지력을 유지하기 위한 일환으로 핵을 개발할 수 있다.'

이 같은 사태의 발생은 동북아시아지역 내 중국의 군사적 안보와 이해에 부정적 영향을 미치게 될 것이 틀림없습니다. 북한이 미사일과 핵 프로그램을 강행하면 할수록 북중관계의 균열과 불화는 심화될 수밖에 없는 구조입니다.

중국이 북한의 핵 프로그램을 좌시할 수 없는 이유 중에는 북한에 대한 중국의 불신도 포함돼 있을 것 같군요.

물론입니다. '베이징을 겨냥한 북한의 핵 프로그램'이란 가설도 존재합니다.

2016년 2월 11일 자 「Time」지는 국제관계 전문가인 핑크스톤(Daniel Pinkston) 트로이대학교 교수의 말을 인용해 '북한의 핵 프로그램이 워싱턴을 겨냥한 것처럼 베이징을 겨냥하고 있다고 지적합니다.

왜냐하면 중국은 북한을 존중하지 않을 뿐만 아니라 멸시의 눈으로 대하기 때문이다'라고 보도한 바 있습니다. 북중관계는 사랑에 의해서 맺어진 관계가 아니라 변절의 위험이 큰, 필요에 의해 맺어진 관계로 볼 수 있습니다.

북한을 주시해온 학자들은 북한은 미국보다 중국을 더 증오한다고 증언하고 있습니다. 그러면서도 북한은 한국과 중국의 완충지대를 담당하고 있는 북한을 중국이 필요하다고 믿고 있습니다. 어쨌거나 중국에 대한 북한의 의존도가 심화됨에 따라 중국은 지구상에서 유엔제재를 통해 북한을 압박하여 질식시킬 수 있는 유일한 국가임에는 틀림없습니다.

혈맹관계를 맺었던 중국과도 불화한다면 북한의 국제적 고립은 정말 심각한 상태로 보여집니다. 그런 고립이 북핵 위기의 심각성을 더 고조시키는 것 아닐까요?

2016년 이후 이뤄진 유엔의 대북제재는 북한의 국제관계가 급속도로 냉각됐음을 잘 보여주고 있습니다. 국제사회로부터의 북한의 고립은 하루아침에 이루어진 것은 아니지요.

1980년대 말까지는 돈독한 정치적, 경제적 관계를 유지해 온 소련과 동구권 공산주의 국가들이 있었습니다. 그들 나라의 사회주의체제가 붕괴되면서 북한의 고립이 본격화되었다고 볼 수 있습니다.

특히 2016년 유엔 안보리가 채택 시행한 강력한 대북제재(2270호)로 인해 국제사회로부터의 북한의 고립은 새로운 국면을 맞게 됐습니다.

북한의 공식 지도이념이 북한의 국제적 고립에 어떻게 영향을 미쳤나요?

북한은 북한이 전통적 사회주의 이념과 자주(self-reliance)의 원칙을 창의적으로 접합시켰다는 주체사상을 공식 지도이념으로 삼고 있습니다.

그 같은 유일영도체제 확립이 북한과 서방국가, 기타 아시아 국가들과의 관계가 소원해진 측면이 있습니다.

소원해진 국가들에는 중국, 베트남 및 카자흐스탄을 위시한 중앙아시아의 5개국도 포함되어 있습니다.

자본주의 국가들로부터 사상적 오염의 침투를 방지할 목적으로 관료주의적 통제(모기장 정책)를 강화한 것도 고립심화의 배경일 것입니다. 비효율적 사회주의 경제체제 운영으로 경제력이 쇠퇴한 것도 고립의 중요한 원인입니다.

경제력 쇠퇴는 북한의 국제적인 영향력을 위축시킴으로써 국제관계에 부정적 영향을 미치게 된 것이지요. 카자흐스탄공화국에서 필자가 체험한 경험을 대표적 사례로 들 수 있습니다. 북한의 국제관계가 위축되자 종국에는 카자흐스탄 주재 북한 대사관이 폐쇄된 것을 목격할 수 있었어요.

1990년 필자는 경제개혁위원회(Expert Committee, 대통령이 위원장으로 관장함)의 부위원장으로 취임하여 카자흐스탄과 북한의 대사관이 단독으로 또는 공동으로 주최하는 각종 공식행사에 참석할 기회가 있었습니다.

이들 행사에는 북한을 자주 왕래하고 북한체제를 열렬히 지지하는 수백 명의 고려인들이 참석했었어요. 북한 대사관의 카자흐스탄에서의 대외활동은 1993년 카자흐스탄에 남한 대사관이 들어서면서 갑자기 쇠퇴했습니다. 1993년 이후 북한 대사관은 각종행사에 아예 불참했지요. 급기야 북한 대사관은 카자흐스탄에서 미그 전투기 밀수에 연루되어 퇴출명령을 받고 폐쇄되었습니다.

9

위기의 북한, 생존 위해
필요한 전략은 무엇인가?

북한의 국제적 고립과정에서 남한 정부의 역할은 없었을까요?

남한정부는 막강한 경제력을 바탕으로 북핵 저지를 위한 대북 압박외교를 강화했습니다. 주로 박근혜 정부 때 집중적으로 이뤄진 이러한 대외 외교활동에는 대북제재를 통해 북한의 핵 개발을 저지하겠다는 의도가 내재해 있었습니다.

남북한 간의 경제력의 차이가 점차 크게 벌어지고 있는 것도 북한이 핵에 집착하는 이유 중의 하나라고 봅니다. 그 양상을 어떻게 보고 있습니까?

남북한 간 경제적 불균형과 격차는 북한 통치체제의 보위와 안정에 부정적 영향을 미치고 있습니다. 한 국가의 경제 규모, 부(wealth) 및 성장 속도를 평가하는 대표적 지표로 흔히 국민총생산 또는 국민총소득을 사용합니다.

국민총생산(Gross Domestic Product, GDP)은 한 국가에 대해 일정기간 동안 국내에서 생산된 최종 재화와 용역(service)을 시장가격으로 합산한 금액입니다. 또한 국민총소득(Gross National Income, GNI)은 한 나라의 국민이 일정기간 동안 생산활동에 참가한 대가로 벌어들인 소득의 합계를 의미합니다.

그런데 국민총생산이나 국민총소득 안에는 교육수준, 수명, 일하는 환경 및 행복지수가 반영되어 있지 않습니다. 이러한 취약점에도 불구하고 이 지표는 널리 통용되고 있습니다. 한 국가의 경제규모와 부를 측정하는 보다 합리적 지표가 아직 개발되지 않은 까닭입니다.

2016년 세계은행 집계에 의하면 2015년 남한의 국민총소득(명목 GNI)은 1조 3,775억 달러(약 1,500조 원)를 기록해 세계 11위를 차지했습니다. 반면 북한은 2013년 기준으로 국민총소득 33조 8,440억 원을 기록해 남북한 간의 국민소득의 비율이 약 42.8배에 달한 것으로 나타났습니다. 한국은행이 2015년 7월 17일 발표한 자료에 의거한 수치입니다.

국민총소득을 인구수로 나눈 북한의 1인당 국민 소득(per Capita Income)은 2005년 기준 105만 2,000원인 반면, 남한은 1인당 1,895만 8,000원을 기록해 북한의 18배에 달했습니다.(통계청, 2014년 북한의 주요통계지표)

2012년에는 남북한 간의 국민총소득의 격차가 20.3배로 늘어나 북한은 138만원 남한은 2,782만 9,000원을 기록했어요.(통계청, 2014년 북한의 주요통계지표) 이처럼 남북한 간 소득의 격차는 해를 거듭할수록 심화되고 있습니다.

남북한 간의 소득의 격차에 내재하는 의미는 무엇일까요? 시간이 흐름에 따라 벌어지는 소득의 격차가 북한체제의 보위와 안정은 물론 한반도의 안정과 평화에 부정적 요인으로 작용하는 이유는 무엇일까요?

북한은 전통적 사회주의 이념과 주체(self-reliances)의 원칙을 접목시킨 주체사상을 국가발전을 위한 공식 지도이념으로 삼고 그 지침에 따라 국가를 관리 운영해왔습니다.

주체사상을 지도이념의 구현한 결과는 참담합니다. 경제의 낙후와 사회전반에 만연한 부조리는 북한이 국가발전을 위해 선정한 패러다임이 이론과 실제를 정립한 모델로서의 효율성을 상실했다는 것을 의미합니다.

김일성 주석이 체계화한 정권승계에 대한 지침에 따라 통치권력을 계승하고 유훈통치를 주도 관장해야 하는 김정은 통치자에게는 무거운 부담으로 작용할 수밖에 없습니다. 왜냐하면 북한에서 확립된 최고영도자의 정통성(legitimacy)은 김일성 주석이 창시한 주체사상을 구현하는 자에게만 법적지위와 권한이 보장되기 때문이지요. 이렇게 되면 국가발전을 위해 필수적인 새로운 패러다임의 모색은 거의 불가능해집니다.

남북한 간의 소득의 격차가 심화되면 될수록 남북한 간의 갈등과 알력도 동시에 깊어지게 됩니다. 왜냐하면 북한은 그들이 직면한 사회적 부조리와 모순의 원인과 책임을 남한에게 전가할 수밖에 없기 때문이지요. 북한은 한시라도 빨리 핵 포기를 수용하고 남한과 관여국들의 경제적 지원과 체제보존을 위한 제도적 조치를 보장받아야 합니다. 그런 과정을 통해 북한이 지속적, 역동적 경제발전을 이룩해야 합니다. 그렇게 하지 않으면 남북한 간의 소득격차도 해소되지 않을 뿐만 아니라 한반도의 평화와 안정도 성취될 수 없습니다.

북한은 유엔안보리의 대북제재로 여러 가지 곤란을 겪을 텐데, 특히 통치자금 조달의 차질이 심각할 것으로 보입니다. 북한 통치체제에 상당한 균열이 생기지 않을까요? 통치자금 부족이 사회·경제전반에 어떤 부정적 영향을 미칠 것으로 전망합니까?

북한은 나라의 살림을 꾸려나가기 위한 재원조달은 두 가지 방법이 있습니다. 세수(tax revenue)를 통해 조달하는 것과는 별도로 당 차원의 통치자금을 노동당 재정경리부 산하 39호실을 통해 조성해온 것으로 알려졌습니다.

39호실은 10~20곳의 해외지부와 국영기관인 대성총국이 중심입니다. 각종 지하자원과 무기의 수출을 주도합니다. 해외 노동자와 개성공단 노동자의 임금, 북한 해외 식당운영으로 발생한 수입을 총괄하는 부서입니다. 39호실에 의해 조성된 통치자금은 핵·미사일 개발 자금 지원, 최고지도자의 치적 과시 등 다양한 용도에 사용되는 것으로 추정됩니다.

통치자금 조달의 차질이 통치체제에 미치는 영향을 분석하려면 먼저 금전적 차질의 규모를 산출해야 합니다. 그 다음엔 통치자금을 총괄하는 책임자가 통치자금 조달의 차질을 어떻게 보완 충당할 것인지를 추론해야지요. 현재 진행 중인 유엔안보리 제재로 인한 통치자금의 금전적 차질을 객관적으로 정확하게 산출하는 것은 대단히 어려운 일입니다. 다만 유엔 대북제재가 발효된 이후의 수출입 동향, 무기거래 중단과 개성공단 폐쇄로 인한 수입감소를 추정해볼 수가 있습니다.

이 추정에 따르면 대북제재로 인한 통치자금의 감소규모는 연간 약 2억 2천만 달러에 이를 것으로 보입니다. 이 액수는 국가안보전략연구원 고영환 부원장이 2016년 7월 TV 대담 프로그램에 나와 분석한 내용을 통해서도 드러난 바 있습니다.

고 원장은 구체적으로 어떻게 추산했나요?

그는 개성공단 폐쇄로 연간 1억 달러 수입이 감소할 것으로 봤습니다. 중국을 통해 판매했던 금괴수출이 중단된 것으로부터는 연간 약 5천만 달러 정도 수입이 감소될 것으로 예측했고요. 해외식당 매출도 연간 2천만 달러 정도 수입이 감소될 것으로 판단했습니다. 북핵실험 이후 식당 이용자가 급감했거든요. 해외 북한식당 수도 약 130개에서 60~70개로 줄어들었다고 합니다.

특히 한국인의 출입이 두드러지게 감소했다고 합니다. 약 6만 명 수준의 해외근로 노동자들이 벌어들이는 수입은 연간 2억 달러 정도인데 이 부문에서도 약 4천만 달러 정도의 수입감소를 예상했습니다. 제재가 강화되면서 그 감소폭은 더욱 커지겠지요.

무기수출은 한때 10억 달러 수준까지 도달한 적이 있어요. 최근 3~4년간은 연간 1~2억 달러 수준으로 떨어진 상황이었는데 여기서도 연간 약 1천 2백만 달러 정도의 축소가 불가피할 것으로 봤습니다. 전체적으로 2억 2천만 달러 정도의 수입감소가 예상된다고 합니다.

통치자금 수입이 감소하면서 통치자금을 총괄하는 책임자가 힘이 들겠지요. 부족액을 보완 충당하기 위해 하나를 얻는 대신 하나를 포기해야 하는데, 그게 상당히 어려운 선택일 겁니다. 어떤 결정을 하든 하나를 얻기 위해 또 하나를 포기해야하므로 이로 인해 발생한 통치체제의 불안과 사회·경제에 미치는 부정적 영향을 감수하지 않을 수 없습니다.

줄어든 통치자금을 보완하기 위해 39호실 책임자가 취할 수 있는 선택에는 어떤 것들이 있을까요?

첫 번째 선택은 핵·미사일 개발, 통치권자의 치적사업을 위한 통치자금의 재정적 지원과 규모를 삭감하는 것입니다. 북한은 최고영도자의 치적을 과시하기 위해 1953년 7월 27일 6·25 정전협정일을 전승기념일로 제정했습니다. 이를 기념하기 위해 2015년 7월 27일 개최한 군사열병식에는 10억 달러,

2016년 5월 6일~9일에 개최된 노동당 7차 대회를 기념하기 위해 거행된 군사 열병식에는 12억 달러를 지출한 것으로 추산됩니다.

다시 말해 통치자금 고갈은 미사일과 핵 개발, 치적사업에 대한 지원의 삭감이 불가피하다는 것을 의미합니다.

두 번째 선택은 국영기업들이 거둬들이는 외화수입의 일부를 통치자금으로 전용하는 일입니다. 외화수입의 일부를 통치자금으로 전용한다는 것은 기업이 인민을 위해 수입해오던 식량, 필수품, 기계 및 생산 원료의 수입량을 삭감해야 한다는 것을 의미하지요.

세 번째 선택은 해외 파견 근로자들이 벌어들이는 수입 중 국가가 징수하는 상납금의 비율을 높이는 것입니다.

국가가 강제로 징수하는 상납비율이 높으면 높을수록 이들 근로자들의 불만도 심화될 수밖에 없겠지요. 근로자들에 대한 이런 착취는 체제안정에 부정적 영향을 미칠 수밖에 없습니다. 바로 인권유린과 탈북으로 이어질 수 있으니까요. 통치자금의 고갈은 이를 보완하기 위해 어떤 선택을 하더라도 북한 사회의 건강한 유지에 부정적인 영향을 줄 수밖에 없습니다.

북한이 핵을 거래의 대상으로 상정할 경우 비핵화의 대가로 5자 관여국으로부터 어떤 보상을 얻어낼 수 있을까요?

북한이 비핵화를 수용하는 근본적 취지와 목적은 크게 두 가지로 요약할 수 있습니다.

첫째는 5자 관여국의 제재로 발생한 사회적, 경제적 난관과 위기를 완화하고 해소하는데 두는 경우입니다. 이 경우 북한은 핵을 포기하는 대가로 대북제재의 철회, 핵 포기에 대한 경제적 보상, 그리고 김정은 통치체제의 보장 등을 얻을 수 있을 것입니다. 그러나 여기서 간과해서는 안 될 점이 있습니다. 그것은 비핵화 수용이 북한의 경제현대화를 이룩하기 위한 전략적 일환으로 이루어진 거래가 아닐 경우 경제 보상만으로는 북한 체제의 불안정 요인들을 해소할 수 없다는 점입니다.

임시방편적인 비핵화 수용은 북한에 어떤 난관을 가져오게 됩니까?

북한정권은 김정은 통치체제의 정당성을 어떻게 합리화 하느냐 하는 문제에 봉착하게 될 겁니다. 왜냐하면 북한의 비핵화 수용은 군사강국과 경제부국을 동시에 추구하는 병진노선의 포기를 의미하기 때문이지요.

앞에서도 지적했지만 북한이 군사강국의 염원을 접을 경우 경제현대화는 통치체제의 정당성을 확보할 수 있는 유일한 수단으로 등장합니다. 그러나 경제현대화는 체제의 개혁 없이는 결코 성취될 수 없습니다.

나아가 정치적 개혁을 통해 공식 지도이념을 변화시키지 않는 한 북한은 국제사회와 대결과 적대의 구도를 지속할 수밖에 없습니다. 왜냐하면 외치는 내치의 연속이기 때문입니다.

북한은 자생력을 갖춘 국제사회의 책임 있는 일원으로 변모할 기회를 상실할 겁니다. 핵을 포기하는 대가로 희망하는 북 · 미 수교, 북 · 일 수교, 남 · 북 평화조약의 체결은 요원해집니다. 한 · 미 · 일과 북한 간의 적대구도가 존재하는 한 북한은 비핵화로 인해 발생한 군사력의 공백을 어떻게 메우느냐 하는 문제에 직면하게 됩니다. 이런 상황은 남 · 북한 간의 군사력 균형을 유지하기 위해 북한이 더 많은 경제적 재원을 군사공업과 군사비에 할당해야 한다는 것을 의미합니다.

결국 북한 비핵화의 수용은 경제현대화를 위한 전략적 계획의 일환으로 이뤄져야 하겠군요.

그렇습니다. 북한은 정치적 개혁을 통해 국가 통치체제의 본질을 변화시켜야 합니다.

왜냐하면 한국과 미국은 북한이 비핵화로 얻게 되기를 원하는 경제적 보상, 제재 철회, 북한과 한·미·일 간의 국교 정상화가 북한의 긍정적 변화 없이는 불가하다는 입장을 견지해왔기 때문이지요.

5자 관여국과의 합의 하에 북한이 비핵화를 수용함으로써 얻게 될 가장 큰 이익은 무엇일까요?

가장 결정적인 이득은 김정은 정권이 생존할 수 있는 진정한 기회를 얻는 데에 있겠지요. 체제보장과 경제적 보상을 경제현대화를 달성하기 위한 수단으로 사용할 경우, 북한은 경제부국으로 발전할 수 있는 절호의 기회를 갖게 됩니다. 뿐만 아니라 김정은 위원장은 열악한 여건 하에서 북한의 경제를 현대화시킨 위대한 지도자로 역사에 기록될 수 있을 것입니다.

경제적 보상과 체제보장을 계기로 북한이 한국, 중국, 카자흐스탄이 성취한 경제현대화를 성취할 수 있을까요?

북한은 아마도 한국, 중국, 카자흐스탄이 성취한 경제현대화의 성과를 초월하는 괄목할만한 경제성장을 이룩할 수 있을 것으로 봅니다. 북한을 한국, 중국, 카자흐스탄이 경제현대화 이전의 상황과 비교해보지요.

북한은 위에 언급한 3개국보다 상대적으로 저렴한 임금에 비해 생산성이 높을 뿐만 아니라 잘 훈련되고 교육받은 양질의 노동력을 보유하고 있습니다.

이 양질의 노동력은 북한의 시장지향적 개혁·개방을 통한 경제현대화 과정의 성장동력이 될 것입니다. 또한 북한은 비핵화를 수용하는 대가로 5자 관여국으로부터 경제개발기금을 확보할 수 있습니다. 이 개발기금은 인프라 건설, 인력 개발, 일자리 창출을 위한 투자와 사회보장제도 재원으로 사용됩니다.

북한은 한국, 중국, 카자흐스탄이 경제현대화 과정에서 체득한 산지식과 경험을 교훈으로 삼을 수 있는 이점을 갖고 있습니다. 시행착오를 최소화할 수 있다는 것이지요.

북한은 지속적 경제성장을 통해 경제현대화를 이룩한 한국, 중국, 러시아와 국경을 맞대고 있습니다. 이런 지리적인 이점도 무시할 수 없는 요소입니다. 동북아시아 경제성장의 견인차 역할을 해온 이들 국가들에 둘러싸여 있으므로 경제적 상승효과(Synergy)를 얻을 수 있는 여건을 가지고 있다는 것이지요.

북한이 소기의 목적을 달성하기 위해서는 어떤 정책의 실천이 필요할까요? 세계 경제와의 통합을 위한 객관적이고 실천가능한 지침을 제시한다면?

시장지향적 개방을 수용하기 위해서는 정치개혁과 적대적 대외정책의 변화가 필요합니다. 국내정책이 변하지 않고는 대외정책도 변할 수 없습니다. 적대적 이념이 국가의 공식 지도이념으로 상존하는 한 북한경제의 세계화는 불가능합니다.

먼저 시장원칙에 준하는 법 개정이 필요합니다. 이 법 개정에는 자유노동시장의 개설, 사유화, 토지 임대, 사유기업 설립, 합작기업 설립에 관한 법이 포함되어야 합니다. 이것은 개인의 경제활동의 자유가 보장되지 않고는 불가능합니다. 5년에서 10년간의 중장기 적정 성장목표도 설정해야 합니다.

시장지향적 개혁·개방으로부터 발생하는 부작용을 잠식시켜야 인민을 통합하고 그들의 지지를 얻을 수 있습니다. 외국자본을 유치하고, 국제 금융기관들로부터 차관을 받기 위해선 적정 경제성장 목표를 채택해야 합니다.

북한이 경제현대화를 위해 비핵화를 수용할 경우, 비핵화의 범주 내에는 어떤 무기 체계까지 포함되는 것입니까?

북한은 거래의 대상으로 핵무기뿐만 아니라 미사일을 포함한 대륙간 탄도탄(ICBM), 잠수함 발사 탄도 미사일(SLBM), 화학무기를 포함한 공격용 비대칭 무기를 거래에 포함시켜야 합니다.

이 무기체제가 거래에 포함되지 않는 한 경제현대화 작업을 위해 필수적인 남·북 평화조약, 북·미 수교, 북·일 수교를 체결할 수 없습니다.

5자 관여국은 비핵화 수용에 합의하는 대가로 무엇을 북한에 제공해야 합니까?

먼저 5자 관여국은 독자적으로 혹은 공동으로 유엔안보리를 통해 채택, 발효한 모든 대북제재를 철회해야 합니다. 그리고 시장지향적 개혁·개방을 성공적으로 시행할 수 있는 적정한 경제적 보상을 제공해야지요.

경제적 보상과 체제 보장은 최소한 10년에 걸쳐 이행되어야 합니다. 남·북 평화조약, 북·미 수교, 북·일 수교가 당연히 필요한 것이고요. 거기에 북·중, 북·러 조약을 재확인하는 절차가 필요합니다.

북한의 이념과 정치체제를 그대로 두고 북한이 경제현대화를 성취하기란 불가능한 것인가요? 북한에 새로운 패러다임의 체제가 필요한 이유는 무엇입니까?

전통적 사회주의와 주체사상을 접목시킨 북한식 사회주의체제는 경제발전을 위한 패러다임으로써의 유효성과 적실성을 상실했습니다.

생산수단의 국유화와 중앙집권적 통제경제계획체제, 수령관, 유일영도체제, 집단주의 가치관 그리고 경제에 있어서의 자립 등 북한의 공식 지도이념으로는 경제현대화를 달성할 수 없습니다.

여기서 간과해서는 안 될 점이 있습니다. 북한의 현 체제는 과거 김일성, 김정일이 추구하던 사회주의체제도 아니요, 주체사상의 지침에 따라 구현된 이상적 사회주의도 아니라는 사실입니다.

북한의 최고통치권자가 국가의 공식 지도이념과 현실 간의 괴리와 모순을 급진적 개혁을 통해 시정하고 치유해야 합니다. 그렇게 하지 않으면 이로 인해 발생하는 부정적 요인들이 체제의 근간을 잠식하게 될 겁니다. 매우 불편하지만 외면해서는 안 될 진실입니다.

그와 같은 북한의 급진적 개혁의 주체는 누구여야 합니까?

이와 같은 결단을 내릴 수 있는 유일한 인물은 북한의 최고영도자 김정은 위원장 오직 한 사람뿐입니다. 주체사상이 국가의 지도이념으로 군림하는 한 북한은 이념을 달리하는 국가와 우호적 협력관계를 유지할 수 없습니다.

왜냐하면 주체사상은 절대 통치체제를 확립하기 위한 혁명사상이지 경제현대화를 위한 사상이 될 수는 없습니다. 주체사상이 지도이념으로 있는 한 북한은 적대적인 대외정책으로부터 탈피할 수 없습니다.

결론적으로 북한의 경제현대화를 위한 시장지향적 개혁·개방은 중국과 카자흐스탄의 전례에서 볼 수 있듯 북한의 최고영도자 김정은 위원장의 불굴의 의지와 결단이 없이는 불가능합니다.

김정은 위원장의 결단 없이 이뤄질 수 없는 이유는 무엇인가요?

시장지향적 개혁·개방을 단행하려면 먼저 정치적 개혁이 선행되어야 합니다. 이는 통치권력의 계승에 대한 정통성 문제와도 연계되어 있기 때문이다. 바로 이 점이 김정은 위원장의 결단 없이는 성사될 수 없는 이유를 대변합니다.

시장지향적 개혁·개방이 지속적인 경제성장을 보장할 수 있을까요?

시장지향적 개혁·개방은 북한의 경제현대화를 위한 필수조건이지 충분조건은 아닙니다. 객관적이고 실효성 있는 경제발전계획의 수립이 선행되어야 합니다. 불행하게도 북한은 경험도 없을뿐더러 전문가들도 보유하고 있지 않습니다. 따라서 북한이 핵 없는 국가로 생존할 수 있는 생존전략은 남한의 지원 없이는 불가능합니다.

10

북한 비핵화,
주변국에 어떤 이익 가져오나?

북한이 비핵화를 수용하고 시장지향적 개혁·개방을 통한 경제현대화 작업에 나설 경우 5자 관여국 중 어느 국가가 최대 수익자가 될까요?

최대 수혜자는 남한이 될 것입니다. 북한의 핵 개발은 미국, 중국, 일본 및 러시아에는 국지적, 군사적 위협요인이지만 남한과 북한에는 사활이 걸린 생존의 문제입니다. 북한의 비핵화 수용은 남북한 간의 무력대결을 미연에 방지하고 화해와 협력의 길을 열어줄 것입니다. 남북한이 상호협력과 동반성장을 통한 민족통합의 기회를 얻게 된다는 것이지요. 그래서 경제적 보상의 주요 책임도 남한이 질 수밖에 없습니다.

대신 남한의 기업들은 북한의 인프라 건설에 주도적 역할을 담당하게 될 겁니다. 북한의 비핵화 수용에 대한 대가로 공여한 대부분의 보상은 인프라 건설에 참여한 남한기업들이 수익으로 되돌려 받게되는 것이지요.

한반도는 동북아시아의 역동적인 경제성장을 이끌 견인차 역할을 하게 될 것이고, 남한은 저성장의 늪에서 벗어나 경제적 재도약의 기회를 맞게 되겠지요.

남한 다음의 수혜자는 어떤 나라인가요?

두 번째 수익자는 중국입니다. 중국은 한반도에서 성취하기를 희망하는 정책목표 대부분에서 긍정적인 결과를 얻게 될 것입니다. 중국의 대한반도 주요 정책목표가 무엇인지 살펴보면 해답은 금방 나옵니다. 중국은 평화적, 정치적 수단에 의한 북한의 비핵화, 남북한과 중국 사이의 협력과 화해에 기초한 동반성장, 한반도 내 미국의 군사적 개입과 영향력 감소 등을 원하고 있습니다.

중국이 얻을 수 있는 가장 큰 소득은 신뢰할 수 없는 북한이 핵 무력을 보유함으로써 발생할 수 있는 잠재적 군사적 위협으로부터 벗어날 수 있다는 점입니다. 뿐만 아닙니다. 북한이 비핵화를 수용할 경우 미국은 남한에 군대를 주둔시킬 명분을 잃게 됩니다. 중국에는 엄청난 이익이 되는 사안들이지요.

러시아는 어떤 이득을 누리게 됩니까?

러시아도 큰 이익을 얻게 되겠지요. 러시아는 핵으로 무장한, 신뢰할 수 없는 실패한 국가 북한과 국경을 마주하고 있습니다. 러시아 역시 중국과 마찬가지로 핵으로 무장한 국가가 야기할 잠재적 군사적 위협으로부터 해방됩니다.

또한 러시아는 막대한 경제적 상승효과도 얻게 됩니다. 러시아는 나진-선봉, 하산 지역의 공동경제개발과 러시아와 남북한을 연결하는 가스와 원유의 수송을 위한 파이프라인(pipeline) 건설, 그리고 연해주 삼각지대의 개발 등에 참여할 수 있는 기회를 얻게 될 겁니다.

경제적 상승효과를 통한 동반성장이 극동 러시아의 경제발전에 크게 기여할 것이 분명합니다. 북한의 비핵화는 한반도에서 미국의 군사적, 정치적 영향력 감소로 이어질 수밖에 없습니다.

북한의 군사적 위협이 배제되면 사드도 남한에 주둔할 근거를 상실하게 됩니다. 사드 배치가 북한의 핵 · 미사일 위협에 따른 것이라는 남한정부의 공식발표가 이를 반영합니다.

북한의 비핵화는 미국, 일본 모두에게도 이익이 됩니다. 두 나라 모두 북하의 핵 무력을 통한 군사적 위협에서 벗어날 수 있기 때문입니다.

5자 관여국과 북한은 상호 어떤 합의안에 서명해야 할까요?

타협안의 요강은 포괄적이고 일괄적이어야 합니다. 경제현대화를 달성할 수 있는 제반조건들이 동시에 충족되어야 한다는 것입니다.

한편 북한은 5자 관여국이 제공하는 경제적 보상과 체제안보의 보장이 경제현대화로 이어질 수 있도록 제반 장애요인들을 제거하는데 동의해야 합니다.

비핵화 과정에 시간이 필요하지만 시장지향적 개혁 · 개방을 통한 경제현대화 과정에도 상당한 기간이 소요됩니다. 최소한 10년으로 해야 소기의 목표를 달성할 수 있을 것으로 생각됩니다. 또한 이 협정은 유효 만료될 때 상호 동의에 의해 연장될 수 있어야 합니다.

11

흡수통일은 과연
가능한 대안이 될 수 있는가?

객관적 대북 비핵화정책을 수립, 주도하고 이를 실행할 주역은 남한이라고 강조했습니다. 그 논리와 이유가 무엇인지 궁금합니다.

핵은 남북한 모두의 사활이 걸린 생존의 문제입니다. 한민족의 사활이 걸린 생존의 문제를 다른 국가에 맡긴다는 것은 있을 수 없는 일이지요. 나머지 5자 관여국이 한반도에 결부된 전략적 이해와 국익은 서로 다릅니다. 서로 다른 전략적 이해와 국익을 조율하고 조정해 공동정책목표를 수립하고 주도해나갈 국가는 오로지 한국뿐입니다. 북한의 경제현대화를 위해 소요되는 경제개발기금의 대부분도 남한이 제공해야 합니다. 그 이유는 자명합니다. 남한이 북한의 비핵화에 따른 경제현대화로부터 가장 큰 이득을 보게 되기 때문이지요.

다시 부연하면, 한국이 북한의 경제현대화 과정에 조력자 역할을 담당해야 한다는 것입니다. 북한의 비핵화 수용과 개혁·개방을 통한 경제현대화 과정에서 김정은 정권의 생존을 담보할 수 있는 나라는 남한뿐입니다.

바꾸어 말하면, 오직 남한만이 체제불안정 요인들을 북한 체제붕괴의 기회로 삼지 않겠다는 진정성 있는 보장을 해줄 수 있기 때문이지요.

북한의 핵 개발 프로그램 및 남북 통일과 관련하여 남한과 북한의 위정자들이 애써 외면하려는 불편한 진실과 오해가 손재합니다. 그렇기 때문에 그 동안 남북관계가 파행을 거듭했던 것 아닌가요? 그간 남한의 대북정책에는 어떤 문제점이 있었던 것입니까?

북한의 핵, 통일 문제와 관련하여 김대중, 노무현 정권은 햇볕정책으로 알려진 유화정책(appeasement policy)을 일관성 있게 채택, 실시했습니다. 그러나 이 정책은 남북한 간 적대적 대결구도를 청산하는데 실패했을 뿐만 아니라 북한의 비핵화를 달성하는 데에도 실패했습니다.

이명박 대통령으로부터 정권을 이어받은 박근혜 대통령은 한반도 신뢰 프로세스라는 명제 하에 국제규범을 준수하는 남북한 관계 정립, 호혜적 협력에 기초한 남북 간 공동이익을 추구하고, 남북 협력과 국제협력의 균형을 통한 북한의 비핵화를 달성하기 위한 정책을 구사해왔습니다.

대북압박과 상호 호혜적 교류 중심의 포용정책을 가미한 대북 비핵화정책이 북한의 긍정적 변화를 이끌어 비핵화를 성취하는데 기여할 가능성은 처음부터 희박했습니다. 북한의 비핵화를 달성하기 위해서는 5자 관여국의 확고한 협력과 공조가 필수적입니다.

그렇다면 5자 관여국의 의연한 협조와 참여 없이 북한의 비핵화를 달성할 수 없는 이유는 무엇일까요? 핵 포기를 유도하기 위해 필수적인 수단인 채찍과 당근을 이들 5자 관여국들이 나누어 갖고 있기 때문입니다. 북 · 미관계 정상화에 따른 북 · 미 수교, 북 · 일 수교와 전쟁배상, 북 · 중, 북 · 러 동맹관계의 재확인, 남 · 북 평화조약과 경제 개발을 위한 자금지원 등의 수단이 바로 그것입니다.

5자 관여국은 채찍으로 비유되는 대북압박을 위한 대북제재와 억지력을 행사할 수 있는 수단 등을 갖고 있습니다. 대북 비핵화전략 안에는 한반도에 결부된 5자 관여국 각기의 전략적 이해와 국익이 반영되어야 합니다.

왜냐하면 북한의 비핵화가 어떻게 성취되느냐가 5자 관여국의 지정학적 역학관계에 중대한 영향을 미치게 되기 때문이지요. 당근과 채찍을 동원, 적절하게 배합하고 통합할 수 있는 전략적 구상이 포함되어야 합니다. 아무리 합리적이고 객관적인 대북 비핵화정책이 수립된다고 하더라도 이를 주도하고 실행할 주역이 없이는 북한 비핵화를 달성할 수 없습니다. 이 역할을 담당할 국가는 남한뿐입니다.

거듭 강조하는 말이지만 북한의 핵은 남북한의 생존의 문제입니다. 반면, 미국, 중국, 러시아, 일본은 한반도에 결부된 국익과 정책적 이해가 서로 다릅니다. 이들에게 북한의 핵은 변방의 군사적 위협에 지나지 않습니다. 상반된 전략적 이해를 조율하고 통합할 수 있는 나라는 오직 남한뿐인데, 그 동안 남한의 대북 정책은 이같이 기본적인 명제를 소홀히 하거나 무시했던 것입니다.

김정은 위원장이 유고로 인해 돌연히 권좌에서 퇴장하는 긴급사태가 발생했다고 가정할 경우 북한은 통치권자의 공백을 어떻게 메울 수 있을까요?

여러 가지 복잡한 문제가 야기될 것입니다. 과연 북한은 정권승계를 차질 없이 이루고 체제를 보존할 수 있을까? 아니면 체제붕괴로 남한에 흡수통일 될까? 군, 당, 관료를 중심으로 한 집단체제로 이어질 경우 새로 등장한 리더십은 체제의 붕괴를 방지할 수 있을까? 권력을 승계 받은 집단 지도부가 대량살상무기에 대한 관리, 통제 기능을 상실할 경우 어떤 사태가 발생할까? 이로 인한 불안정 요인들이 남한의 안정에 어떻게 영향을 미칠까? 김정은 위원장이 돌연히 퇴장할 경우 북한 통치권의 권좌는 핵심 군, 당, 행정 관료로 편성된 집단지도 체제로 대체될 가능성이 높다고 봅니다. 왜냐하면 현재 북한에는 김정은 위원장의 자리를 메울 수 있을 만큼 권위와 위상을 갖춘 2인자가 존재하지도 않고 최고통치권자의 유고시 권력승계를 할 수 있는 체계화된 법적절차가 없기 때문입니다.

최고통치권자의 공백을 집단지도체제로 대체할 경우 새로운 리더십은 어떤 난관과 한계에 부딪히게 될까요?

첫 번째 난관은 최고통치기구로써의 정통성을 어떻게 확보하고 정당화하느냐는 문제일 것입니다. 북한의 최고통치권자로서의 정통성은 김일성 주석의 '위대한 주체사상'을 구현하는 자에게만 그 법적지위와 권한이 보장되기 때문입니다.

북한경제가 붕괴 직전이란 점도 큰 부담이지요. 통치자금의 고갈로 국가운영을 위한 재정을 확보하기가 쉽지 않을 것입니다. 그래서 김정은 위원장의 돌연한 퇴장은 지리멸렬한 경제적 파탄으로 이어질 수밖에 없습니다. 경제적 재난은 대량 탈북사태로 이어질 수 있습니다.

북한의 집단지도체제가 기능하기 위해서는 중국의 경제적 지원이 반드시 필요하게 될 겁니다. 그 같은 경우가 발생하면 북한은 중국의 보호 하에 놓이게 되고, 남북한의 통일은 요원해질 수밖에 없습니다.

집단지도체제는 보유한 핵, 미사일, 화학무기, 비대칭 무기 등 대량살상무기의 통제와 관리의 문제에 직면할 것입니다. 대량살상무기 통제기능이 와해되면 전략적 이해와 국익이 결부된 미국, 중국, 러시아, 한국, 일본 등의 개입이 야기될 수밖에 없습니다. 이러한 상황에서 한반도는 열강의 무력대결이 횡행하는 각축장이 될 수밖에 없겠지요.

북한 인민의 통치권에 대한 인식에도 오해가 있는 듯합니다. 북한 주민이 남한에 의한 흡수통일을 원할 것이란 믿음인데요. 과연 그런가요?

남한 사람들이 잘못 알고 있는 또 하나의 불편한 진실이지요. 북한 인민 대다수가 남한주도의 흡수통일을 열망하고 환영하리라고 보는 것은 그릇된 생각입니다. 북한 인민들은 조선민주주의인민공화국 창건 이후 지금까지 이 오류를 범하지 않는 전지전능의 위대한 통치자들에 의해 영도되었다고 교육받았습니다. 통치권자에 대한 존경과 신봉의 강도가 김정은 대에 와서 줄어들기는 했지만 김정은 역시 여전히 신적인 존재로 받아들여지고 있어요.

남한 사람들은 900일 간 북한에서 영국대사로 재직했던 존 에버라드 대사의 말에 놀라움을 금치 못할 것입니다. 북한 통치자들에 대한 북한 인민들의 절대적인 신봉에 대해 에버라드 대사는 이렇게 말했습니다. '북한 인민들뿐만 아니라 평양의 엘리트에게도 정권은 종교적 경의의 대상이다. 여전히 북한사람들은 자신의 지도자가 반신(semi-divine)이자 완벽하며 절대 틀리지 않는 존재라고 생각한다.'(중앙선데이, 2016년 8월 21일)

필자도 소련이 붕괴된 이후 러시아를 자주 방문하고 카자흐스탄에 거주하면서 비슷한 상황을 목격했습니다. 스탈린 통치체제의 폭정 하에서 고통을 당해온 구세대가 여전히 스탈린을 신적 존재로 신봉하고 있는 사실에 경악을 금치 못했습니다.

에버라드 영국대사는 남한주도의 흡수통일의 가능성에 대해 대부분의 북한 인민들이 어떻게 반응할지 이렇게 기술했습니다. '대다수의 북한사람들에게 남한주도의 통일이라는 것을 거의 신성모독에 가까운 것이다' 남한주도 하에 통일이 될 경우, 통합과 화합의 과정이 얼마나 험난하고 어려운 것인가를 극명하게 반영하는 인식이라 할 수 있습니다.

12

북한의 비핵화, 개혁개방과
경제현대화는 세계사의 신기원

미국 트럼프 행정부의 군사무력수단에 의한 대북 비핵화정책이 실제로 이행된다면 어떤 결과가 빚어질까요? 과연 남한의 전략적 이해와 국익에 부합할 수 있을까요?

앞서 언급한대로 북한의 핵무기 개발 프로그램은 미국, 중국, 러시아, 일본에는 국지적 군사적 위협에 불과했습니다. 하지만 남한에는 언제나 사활이 달린 중대한 문제지요. 그런데 북한의 핵무기 개발은 남한의 전략적 이해와 우려의 범주를 이제 넘어섰습니다. 주변국의 지정학적 역학관계에 지대한 영향을 미치면서 국제적인 이슈로 비화했습니다. 미국과 관여국들이 공동으로 가동한 대북 제재와 압박의 수위가 높아질 가능성도 커졌습니다.

그 결과 김정은 체제의 생존이 위협받는다면 어떤 일이 벌어질까요? 북한은 체제붕괴를 감수하기보다 5자 관여국을 상대로 강압적 협상을 유도하기 위해 남한에 대한 국지적 무력도발을 시도할 가능성이 있습니다. 북한의 무력도발은 결국 남한의 초강경 대응으로 이어져 전면적 무력충돌로 비화되겠지요.

김정은 정권이 압박을 이기지 못하고 그대로 붕괴될 가능성도 있는 것 아닙니까?

관여국의 압박이 정권을 와해시킬 수도 있겠지요. 김정은 위원장이 권좌로부터 급작스럽게 퇴출된다고해서 흡수통일이 오는 게 아니라는 점을 직시해야 합니다. 뿐만 아니라 한반도에 엄청난 파탄과 재난이 덮칠 것입니다.

대북제재와 압박이 실패할 경우 어떤 상황이 조성될까요?

미국은 북핵 개발 프로그램을 저지 시도에 착수하겠지요. 독자적인 선제공격을 포함한 군사행동을 감행하도록 압력을 받게 될 것이 분명합니다. 미국이 선제공격을 감행할 경우 북한은 남한에 대해 강력한 무력공격으로 보복할 겁니다. 이와 같은 사태로 확전될 경우 초전 1시간 이내에 남한에서 13만 명의 사상자를 발생할 것으로 군사전문가들은 추정하고 있습니다. 결론적으로 문재인 대통령의 평화적 비핵화 달성이 정말로 중요하고 시급한 과제라는 것을 알 수 있습니다.

결국 압박과 제재보다 북한의 비핵화 수용에 대한 대가와 보상이 더 중요하다는 것을 의미하네요. 대가와 보상은 어떻게 이뤄져야 할까요?

먼저 유엔안보리와 5자 관여국이 채택한 모든 경제적, 외교적 제재를 철회해야 하겠지요. 한미공동연합군사훈련의 중지도 이뤄져야 합니다. 북한의 체제보장과 경제현대화 작업을 지원하기 위한 조치도 뒤따라야 합니다. 현재 정전협정도 남북 평화조약으로 대체해야지요.

남한은 현재 GDP의 약 2.5%에 해당하는 340억 달러를 군사비에 할당하는 반면, 북한은 GDP의 약 20~25%에 해당하는 70~75억 달러를 군사비로 씁니다.

평화조약으로 남북한 군사비가 축소되면 여기서 마련된 재원을 북한 경제현대화에 활용할 수 있을 것입니다. 남한은 1국가 2체제 원칙을 존중하고 흡수통일 시도도 하지 말아야 합니다. 북·미 수교, 북·일 수교도 체결되겠지요. 일본은 미결상태로 남아있는 300억 달러 규모의 식민지배보상도 실행할 겁니다.

앞서 지적한 것처럼 남한은 북한의 시장지향적 개혁·개방을 지원해야 합니다. 10년 동안 연간 300억 달러씩 총 3,000억 달러를 경제개발기금으로 제공하는 것이지요.

연간 지원하는 300억 달러 중 100억 달러는 인력 개발, 노동력 동원, 사회보장을 위해 현금으로 지급합니다. 나머지 200억 달러는 인프라 건설을 지원하기 위해 바우처(voucher, 현금대용의 상환권)로 지급하는 방식이지요.

경제개발기금의 상당 부분은 남한이 공여하며, 북한이 국제금융기관으로부터 차관을 얻어 추가 재원을 마련하도록 협조해야 할 것입니다. 그렇게 해서 한반도에 완전한 비핵화가 이뤄지면 미국은 남한에서 미군과 미군이 보유하고 있는 모든 군사무기를 철수하게 됩니다. 미군철수는 이 거대한 비핵화 프로세스의 마지막 단계라 할 수 있습니다.

북한 경제의 현대화 과정에서 '개방'의 의미와 필요성은 어떻게 규정할 수 있는 것인지 궁금합니다.

인간의 권리로서의 개방의 의미는 정보와 지식을 공유한다는 데에 있습니다. 개혁과 개방(Glasnost and Perestroika)이란 단어가 세계의 이목을 집중시킨 것은 1985년 소련 당서기장으로 선출된 고르바초프가 그 원조입니다.

우리에게 '개방'의 의미로 알려진 '글라스노스트'(glasnost, openness)는

'glasnyi'라는 형용사에서 유래되었습니다. 'glasnyi'의 의미는 '전체에 알려져 있거나 분명하다'는 뜻과 함께, '숨기지 않고 모두에게 사실을 공표한다'는 의미를 동시에 담고 있습니다.

다시 말해 개방이란 의미의 글라스노스트는 개인의 견해와 입장을 표명할 권리뿐만 아니라, 이전에 숨겨졌던 비밀의 전말을 공개한다는 의미를 동시에 담고 있지요. 개방의 의미를 인간의 고유한 기본권리로 굳이 확대해석하지 않더라도 시장지향적 개방은 북한사회에 내재한 빈곤과 부조리, 인권의 유린이 외부로 노출되고 공개된다는 것을 의미합니다.

전 세계를 통틀어, 체제를 막론하고 한 국가가 폐쇄정책 하에서 경제현대화를 달성한 경우는 지금까지 한 번도 없었습니다. 다시 말해 개발도상국가 중 지속적 경제발전을 이룩한 나라들은 예외 없이 세계경제와의 통합에 성공한 국가들입니다. 개방은 경제적 측면, 인간의 기본권리에 관한 측면 등 두 가지 차원으로 구분할 수 있을 것입니다.

먼저 외국기업과의 합작이나 합영을 통해 합리적 경영관리에 대한 지식과 기술을 습득해야 합니다. 수출신장을 통해 벌어들인 외화를 인프라 건설과 선진 기술, 첨단 설비의 도입에 사용해야 하고, 무엇보다 세계경제와의 통합을 지향해야 합니다. 한 나라의 경제적 세계화의 척도는 대외교역 규모입니다.

2014년 한국은행이 발표한 자료에 의하면 북한은 76억 1000달러의 총무역량을 기록한데 반해 한국은 1조 981억 8000만 달러를 기록했습니다. 남북한 간 대외 교역 규모의 격차가 무려 144.3배에 이른 것입니다.

그 격차는 앞으로 더 크게 벌어질 것입니다. 상대적으로 세계화에 성공한 남한은 1인당 국민소득의 측면에 있어서도 북한을 21.4배 앞지르고 있는 상황입니다. 세계경제와의 통합, 즉 개방이 경제발전과 소득의 규모를 결정하는 양상을 보인다는 것입니다.

개방 없는 체제개혁이 성공적으로 단행될 수 없는 이유는 무엇일까요?

시장지향적 경제체제로의 개혁이 따르지 않는 개방만으로는 경제현대화를 달성할 수 없습니다. 반대로 개방 없는 시장지향적 체제개혁도 성공할 수 없습니다. 개방이 없이는 합리적인 개혁도 이뤄지지 않는 것입니다.

경제개혁은 체제 내에 내재하는 결함과 모순을 제거하고 치유하는 과정입니다. 체제의 경쟁력과 효율성을 증진시키고 생산성을 향상시키는 과정이기도 합니다. 그런데 체제개혁을 위한 합리적인 정책을 모색하기 위해서는 반드시 국가가 저지른 과실과 오류를 인정하고 비판해야 합니다.

나아가 합리적 정책의 모색을 위한 담론이 행해져야 합니다. 고르바초프는 자기비판으로 성찰된 개방(glasnost, opening) 없이는 근본적 변화가 불가능하다고 생각했습니다.

더 나아가 고르바초프는 개혁이 성공하기 위해서는 대중의 적극적인 지지와 협조가 필수적이라고 보았습니다. 개방이 경제현대화를 위해 필수적인 조건이라는 데에는 경제학자들 간에 이견이 없습니다. 그러나 북한의 경우에는 경제의 개방을 단행하다고 해서 곧 경제현대화를 위해 개방이 담당해야 할 역할과 소임이 곧바로 성취될 수 있는 것은 아닙니다. 북한 경제체제에 내재하는 모순과 결함이 개방의 실현을 제약하는 요인으로 작용하기 때문입니다.

개방이 실질적으로 이뤄지기 위해서는 시장지향적 체제개혁을 통해 제도적 제반여건을 조성해야 합니다. 사회주의 경제 체제를 점진적으로 자유시장경제 체제로 변모시킬 수 있어야 한다는 것이지요.

개방이 실질적으로 이루어지기 위해서는 구체적으로 어떤 조치들이 이뤄져야 합니까?

국가가 운영하는 기업들을 사유화하고, 국영기업을 떠난 인재들이 사유기업을 설립해 시장활동에 자유로이 참여할 수 있는 권한을 보장해야 합니다. 또 사유기업이 외국기업들과 합작과 합영을 할 수 있는 권리를 법적으로 보장해야 합니다. 그렇게 해야 첨단기술을 이전받고, 현대적 경영지식을 습득할 수 있습니다.

중앙집권적 계획경제체제에 예속된 국영기업은 외국기업과 합작을 통해 첨단기술과 경영관리에 대한 지식을 전수받는데 제약을 받을 수밖에 없습니다. 자유로운 노동시장이 형성되는 것도 허용해야 합니다. 외국기업, 합작기업들이 자유 노동시장에서 경쟁적인 임금을 지불하고 자유로이 노동자들을 채용하고 해고할 권한을 법적으로 보장받아야 합니다.

또한 노동자들에게 이동의 자유도 허용해야지요. 사상적 독소와 오염의 방지를 관료주의적 통제, 일명 '모기장 정책'도 마땅히 철폐해야 합니다. 외국기업과 합작기업들 간 모든 통신의 자유를 보장하고, 이들 기업들에게 하청업체들을 자유로이 방문하고 지도할 수 있는 권한도 부여해야 합니다. 북한이 허용하고 설립한 개성공단을 비롯한 19개의 경제특구가 제 역할과 소임을 다하지 못한 것도 위와 같은 제도적 여건이 갖추어지고 충족되지 못했기 때문이라 볼 수 있습니다.

결국 정치적 개혁이 없이는 경제의 개방도 이루어질 수 없다는 지적인데요, 그 구조와 배경은 어떻게 설명될 수 있겠습니까?

그간 역사적으로 존재했던 모든 사회주의 국가에서 볼 수 있었던 현상입니다만, 생산수단의 국가소유가 공식 지도이념을 초래한 것이 아니라, 반대로 공식 지도이념이 생산수단의 국가소유를 가져왔습니다. 공산주의를 창시한 마르크스와 레닌은 자본가의 착취를 청산하고 부를 평등하게 분배하기 위해서는 생산수단의 국가소유가 필수적이라고 보았습니다.

따라서 체제개혁을 위해서는 경제체제를 지배하는 공식이념이 변화해야 하고, 공식이념의 변화는 정치개혁 없이는 불가능합니다. 북한의 경우 사회주의 체제의 지도이념인 주체사상의 본질을 이루는 수령관, 유일영도체제, 사회정치체제 그리고 집단주의 가치관에 이르기까지 근본적인 수정이 필요합니다.

덩샤오핑이 '정치개혁이 없이는 경제개혁이 이루어질 수 없다. 경제개혁이 부진한 것은 정치개혁이 이루어지지 않았기 때문이다'라고 한 말도 같은 맥락에서 이해되어야 합니다.

'고양이가 희든 검든 쥐만 잡으면 좋은 고양이다'라는 덩샤오핑의 발언도 사회주의 경제체제가 국가발전을 위한 패러다임으로써 적실성을 상실함으로써 경제체제를 지배하는 이념의 속박에서 벗어나 새롭게 신뢰할 수 있는 확실한 패러다임을 모색해야 한다는 의미를 암유한 것입니다.

그는 더 나아가서 '당이 나서서 먼저 몇몇 사람들이 부자가 되게 하라'고 지시하기도 했습니다. 공산당의 창건목적과 이념에 대한 과감한 빈론(Refutation) 탄핵이라 볼 수 있는 발상입니다. 덩샤오핑의 개혁에 대한 의지가 얼마나 확고부동했는지를 단적으로 보여주는 발언이라 볼 수 있습니다.

그는 또한 다음과 같이 선언했습니다. '변하지 않는다면 우리는 막다른 골목에 다다르게 된다! 그가 누구든지 간에 개혁을 하지 않으려는 자는 그 자리에서 물러나라!' 중국이 개혁·개방을 통해 괄목할만한 경제현대화를 이룩할 수 있었던 것은 시장지향적 개혁에 대한 그의 불굴의 의지가 있었기 때문입니다.

현재 북한의 체제가 완전히 실패한 것으로 단정할 수 있을까요?

현재 북한사회는 공식 지도이념인 주체사상의 지침에 따라 구현된 사회가 아닐뿐더러 이상적인 사회주의 지상낙원은 더욱 아닙니다. 공식 지도이념과 국가 사회현실 간에 치유할 수 없는 모순과 괴리가 날로 심화되어 체제 정당성을 훼손하고 체제근간을 잠식해 체제의 존립자체를 위협합니다.

북한의 경제는 완전히 마비되고 그 기능을 상실했습니다. 국가의 공식 부문(state sector)은 전력난, 원료공급의 부진 및 노후한 기계설비로 인해 와해됐습니다. 또한 장마당 경제로 비유되는 비공식 경제 부문과 국가 공식 부문 간 소득의 양극화가 심화됐습니다.

북한화폐 원화는 인민들 사이에서 시장거래와 저축수단으로써 제한적으로 통용되고 있습니다. 이미 인민들은 자국화폐 대신 달러화, 유로화, 중국 위안화를 거래수단과 저축수단으로 대체하여 사용되고 있습니다.

국가 통제기능의 3대 핵심 중 사상교화와 배급제도가 이완됨으로써 무자비한 처형과 투옥이 통제기능을 대체하게 됐습니다. 그 결과 국가보위를 유지하기 위해 무자비한 처형과 동원이 급증하게 되었다. 또한 국가 유통체계의 이완으로 국가 통치자금이 고갈되었다. 국가가 통치자금의 조달을 충성기금의 헌납에 의존하게 됨으로써 충성기금 마련을 위한 뇌물과 비리로 인한 부패, 인권유린이 만연하게 되었습니다. 북한을 이탈하려는 탈북민이 급증하고 유통이 금지되어 정보가 인민들 간에 확산되고 있습니다.

위에서 기술한 바와 같이 소수의 기득권층의 복지를 위해 다수가 희생당하고 착취되는 체제는 경제현대화를 달성할 수도 없고 체제를 보존할 수도 없습니다. 역사상 지금까지, '폐쇄된 나라가 경제현대화를 달성한 예는 없다'는 덩샤오핑의 말을 상기할 필요가 있습니다. 그러나 개방만으로도 경제현대화를 이룩할 수는 없습니다.

　세계경제와의 통합을 목적으로 하는 개방은 체제에 내재하는 모순과 부조리를 치유하기 위한 체제개혁이 동시에 이행되어야 한다는 것을 의미합니다. 이것이 북한이 경제현대화를 이룩하려면 시장지향적 체제개혁·개방이 필수적인 이유입니다.

이 대목에서 김정은의 딜레마를 엿볼 수 있게 됩니다. 빠른 경제성장이 체제를 유지시킬 수도 있지만 체제를 붕괴시키는 역할도 할 수 있지 않을까요?

　그래서 필자는 김정은 위원장의 시장지향적 개혁·개방을 위한 결단을 '위대한 도전'이라는 이름을 붙인 것입니다. 김정일은 김일성에게서 사회주의체제를 유지하라는 유시를 받았지만 한때 개방을 시도한 적이 있습니다. 그는 갈팡질팡하다 결국 그 같은 시도를 포기할 수밖에 없었지요.

　지금의 북한은 이미 장마당 경제의 활성화로 자본주의 시장부문을 허용하고 있습니다. 김정은은 선대의 유언통치, 주체사상 등에 구애받을 필요가 없게 되었습니다. 김정일이 물려준 북한체제를 열어보니 이미 사회주의체제가 아니었던 것입니다. 북한경제는 장마당 때문에 유지됩니다. 그건 사회주의체제가 아니지요.

현재의 상황에서 북한 핵의 철폐, 한반도 평화구축이 세계사적으로 중요한 의미를 갖는 이유와 배경을 어떻게 설명하시겠습니까?

　1989년 11월 9일 베를린 장벽이 붕괴했을 때, 프란시스 후쿠야마는 '역사의 종언'을 선언했습니다. 시장민주주의와 사회주의의 경쟁에서 자유민주주의가 최종 승리를 거두었다는 판정을 내린 것이지요.

현재 지구상에서 스탈린식 사회주의체제를 고수하는 나라는 북한뿐입니다. 북한이 시장경제를 과감하게 도입하여 도입 역사상 가장 빠른 경제발전을 성취한다면 그것은 '한강의 기적'보다 더 큰 기적이라 할 수 있을 것입니다. 전쟁이란 대참화 없이 세계적 차원의 자유민주주의 시장경제의 완성을 의미합니다. 남북한을 포함한 5자 관여국들의 정상들 모두가 노벨평화상을 받고도 남을 위대한 역사의 전기가 될 것입니다. 한반도를 둘러싼 각국의 지정학적 역학관계에도 엄청난 변화가 오겠지요. 여기에서 만일 실패한다면 다시 양극체제, 신냉전시대로의 퇴행이 불가피합니다. 전략적 이해가 각기 다른 나라들이 화합의 정신과 관대한 아량으로 북핵위기를 평화적으로 해결한다면 그것은 온 인류의 위대한 승리라고 필자는 생각합니다.

그것은 남북한의 승리이고, 미국과 중국의 승리입니다. 역사의 대단원이 막을 내리고 완전히 새로운 세계사가 시작될 겁니다. 이렇게 위대한 일에 우리는 담대하게 도전해야 합니다. 지금 북한의 핵과 미사일을 철폐하고 완전한 평화체제를 구축하는 일보다 더 위대한 세계사적 책무는 존재하지 않습니다.

문재인 대통령이 독일 괴르버재단에서 천명한 정책구상에 따라 북한의 비핵화를 평화적으로 달성하고 항구적 평화체제의 정착을 통한 남북한 공동의 경제적 번영을 이룩하려면 어떤 구체적 실행지침(Road map)이 마련되어야 할까요?

먼저 대통령 직속 하에 국내외 북한전문가들로 구성된 전문위원회(Expert committee)를 발족시켜야 합니다. 그 위원회가 문재인 대통령이 괴르버재단에서 제시한 구상에 따라 남북한 공동의 대북정책안을 마련해야 합니다. 이 정책안의 핵심은 북한이 핵을 포기하고 핵 없는 국가로 생존할 수 있는 진정성 있는 기회를 제공해야 한다는 것입니다. 수차 강조한대로 비핵화가 완결됨과 동시에 한반도에서 미군이 철수한다는 것도 포함되어야 합니다.

그렇다면 5자 관여국의 공동안에 어떤 내용으로 채워야 북한을 설득할 수 있을까요?

북한에 반드시 양자택일의 조건을 제시해야 합니다. 5자 관여국들은 북한이 핵무기 개발을 지속함으로써 제재와 압박으로 인한 체제붕괴 위협을 감수하거나, 아니면 비핵화를 수용하는 대가로 체제안전보장과 경제개발기금을 공여받아 시장지향적 개혁·개방을 통한 경제현대화로 체재생존을 추구하던가 양자택일 하도록 해야 한다는 것이지요. 또한 구체적인 로드맵도 수립해야 합니다. 아울러 대통령 직속하에 국내외 북한전문가들로 구성된 전문위원회를 발족시켜 이 전문위원회를 통해 5자 관여국들이 공조하고 이행할 객관적인 공동의 대북비핵화정책을 입안해야 합니다.

한편 대통령 산하에 전문위원회의 위원장이 미·중·러·일 각국의 국가안보 보좌관들과 개별적으로 회동하여 남한이 제시한 공동의 대북정책안이 채택되도록 이해시켜야 합니다.

문재인 대통령의 역할이 역시 결정적입니다. 문 대통령은 4자 관여국 정상들과 개별적으로 정상회담을 개최하여 각국 정상들을 설득시켜야 합니다. 또한 북한에 특사를 파견해 북한의 생존전략을 제시하고 북한이 비핵화를 수용하고 경제현대화를 통한 체제안정과 번영의 길을 선택하도록 설득해야 합니다.

남북한 간의 70년 간 고착된 분단구조를 깨고 항구적인 남북평화체제 구축을 위한 거대한 발걸음이 시작되는 것이지요. 이 위대한 과업을 완수하기 위해서는 문재인 대통령의 탁월한 지도력과 담대한 용기가 필요합니다.

방찬영 키맵대학교 총장과
김영희 중앙일보 대기자와의
대담

"문재인 대통령은 담대한 평화구상으로
주변국 설득하고 북핵 폐기 주도해야"

– 긴급대담(월간중앙 2017.9월호)

사회 | 한기홍 월간중앙 선임기자

정리 | 문상덕 기자

북한, 비핵화와 시장지향적 개혁·개방을 통한
동태적 경제발전

한반도가 8월 위기설로 뜨겁게 달궈지고 있다. 북한과 미국이 강도 높게 상대방을 공격하는 언사를 쏟으며 긴장이 최고조에 달하고 있다.

북한과 미국의 지도자가 둘 다 예측하기 어려운 인물이라는 점에서 이번 북핵위기는 과거보다 심각하다. 이런 상황에서 북핵위기의 본질과 해법을 모색하기 위해 김영희(81) 중앙일보 대기자와 방찬영(81) 카자흐스탄 키맵대 총장이 만나 긴급 대담을 했다.

미국 캘리포니아주립대(UCLA) 경제학과 교수를 지낸 방찬영 총장은 1991년 누르술탄 나자르바예프 카자흐스탄 대통령의 경제특별보좌관으로 임명돼 소련으로부터 분리·독립한 카자흐스탄의 경제시스템 개혁을 주도했다.

특히 방 총장은 북한이 핵 개발을 시작한 이후 북한의 비핵화와 경제현대화를 연계하는 패키지 전략의 연구에 몰두했다. 방 총장의 한반도 평화구상을 담은 책 「김정은 위원장의 위대한 도전」은 8월 중 출간될 예정이기도 하다. 이 대담은 8월 10일 서울 시내 한 호텔에서 세 시간에 걸쳐 이뤄졌다.

북한이 추구하고 있는 핵·미사일 정책의 최종 목표는 무엇인가?

방찬영(이하 방): 북한이 핵무기를 개발하는 궁극적 목적은 체제의 생존을 담보하기 위해서다. 체제생존을 위해서는 두 가지 조건이 있다. 첫째는 미국의 위협에 대처하는 억지력을 보유하고, 둘째는 체제의 정당성을 확보하는데 있다. 따라서 북한이 비핵화를 수용하기 위해서는 체제생존을 위한 위의 두 조건이 충족돼야 한다.

김영희(이하 김): 철학적으로 얘기하자면 김정은은 지금 미국과 국제사회를 상대로 '인정 투쟁(struggle for recognition)'을 벌이고 있다. 철학자 게오르크 헤

겔이 주저「정신현상학」에서 쓴 용어다. 요컨대 나를 좀 알아달라, 북한을 핵을 가진 나라로 인정해주고, 그 바탕 위에서 협상을 하자는 것이다. 김정은과 도널드 트럼프가 주고받는 동등한 수준의 말 폭탄을 보면 김정은은 이 '인정 투쟁'에서 상당한 전과를 올리고 있다. 일단 그의 언행 하나하나가 세계의 주목을 받고 반응을 일으키기 때문이다.

"미국은 현재까지 북핵문제 전략적 구상 없어"
화성-14형이 시험발사되면서 변화한 국면을 어떻게 분석할 수 있을까?

김 : 그게 게임체인저가 된 것이다. 미국이 화들짝 놀랐다. 소련 붕괴 이후 북한처럼 미국을 이렇게 위협하는 나라가 없었다. 최대의 압박과 관여(maximum pressure and engagement)가 어느 정도 밸런스를 유지해오다가 7월 4일 화성-14 발사 후로는 압박 쪽에 무게중심이 옮겨갔다. 선제타격론, 심지어 예방전쟁론까지 나왔다.

지금은 군사적 옵션이 훨씬 강력해진 상황이다. 화성-14를 발사하면서 북한은 핵·미사일 개발의 마감단계에서 미국과 협상하겠다는 의지를 드러냈다. 미국은 북한이 그 마감단계에 이르기 전에 해법을 찾으려고 한다. 그게 군사적인 옵션인 선제타격론의 배경이다.

방 : 미국은 현재까지 북핵문제에 대한 전략적 구상을 가지고 있지 않다. 그러나 미국은 막강한 군사력을 가진 나라다. 힐러리가 대통령이 됐다고 하더라도 본토에 도달하는 미사일을 허용하진 않으려 했을 것이다.

처음에는 3년이 걸릴 것으로 예상했는데, 1년 안에도 핵탄두를 소형화해 본토에 도달할 수 있게 된 것으로 전문가들은 보고 있다. 긴박성 측면에서 아주 다른 분위기가 조성된 것이다.

미국 정부 내에서도 단일하고도 확고한 입장이 확정됐다고 보긴 어렵지 않을까?

김 : 중구난방이다. 트럼프는 북핵에 대해 포괄적인 개념과 전략을 갖고 있지 않다. 아직까지 국무부에 아시아·태평양담당 차관보도 임명되지 않았다. 주한 대사도 없다. 현실적으로 실현가능한 아이디어를 대통령에게 제시할 팀이 갖춰지지 않았다. 매티스 국방장관이나 맥매스터 백악관 안보보좌관 같은 군부 출신 강경파가 트럼프 정부의 대북정책과 전략을 주도하고 있다.

그 배후에 록히드 마틴 같은 가공할만한 영향력을 가진 군산복합체가 있다. 그들은 전문지식을 가진 보좌팀, 예컨대 아시아·태평양담당 국무차관보나 주한대사가 없는 틈을 타 계속 긴장을 고조시키고 있다.

트럼프는 최근 북한이 계속 핵·미사일 개발을 추진한다면 북한을 공격하겠다고 말하면서 '전쟁은 거기(한반도)서 일어나지 여기(미국)서 일어나지 않는다'는 망발을 했다. 이건 백인 우월주의적, 인종주의적 발언이고 한국인에 대한 모욕이다.

다행히 문재인 대통령이 8월 7일 트럼프와 통화에서 '한반도에서 두 번 다시 전쟁의 참상이 일어나는 것은 용인할 수 없다'고 주장하며 트럼프에게 반박했다. 우리에게는 전쟁방지, 평화가 지상명령(imperative)이다.

방 : 가장 핵심적인 것은 현재의 트럼프 대통령의 방안으로는 북핵문제를 풀 수 없다는 점이다. 제재와 압박만으로는 불충분하다. 중국이 응하지 않을 뿐더러 북한이 절대 핵을 포기하지 않는다. 전체적으로 북한의 핵을 어떻게 풀겠다고 하는 큰 틀의 전략적 구상이 나와야 한다.

미국의 트럼프 대통령은 북한의 비핵화 달성을 위해 군사적 수단이 동원될 수 있다는 점을 수차례 천명했다. 그러나 그런 표현조차도 합리적인 비핵화 전략의 구상안에서 나와야 한다. 그것이 선제공격이든 해상봉쇄든 전략적인 복안의 일환으로 제시돼야 한다는 것이다.

또한 문 대통령이 군사적인 수단을 써서는 안 된다는 것을 이미 베를린 구상에서 천명했다. 지금 문 대통령은 미국이 내놓지 못한 전략적인 정책을 내놓고, 그 안에 따라서 북핵문제를 주도적으로 해결하는 리더십을 보여야 한다.

"비핵화 후엔 역동적 경제성장이 필수적인 과제"
북한이 진정으로 원하는 것은 무엇인가?

김: 체제안전보장이다. 우리는 이해할 수 없지만 그들은 미국의 위협을 현실적인 것으로 생각한다. 공포감에 사로잡혀 있는 것이다. 김정은 입장에서는 체제안전보장이란 결국 김씨 세습왕조의 안정보장을 의미한다. 절대 양보할 수 없는 목표다.

문 대통령은 베를린 구상을 통해 평화라는 목표만 제시했다. 그런데 목표로 가는 로드맵이 안 나와 있다. 핵 동결이 입구이며 비핵화가 출구라고 했지만, 이제는 입구에서 출구까지 가는 정교한 로드맵을 만들어 북한·미국·중국을 납득시켜야 한다.

방: 앞서 언급한 바와 같이 북한에게 핵은 두 가지 의미가 있다. 하나는 미국의 위협에 대한 억지력을 확보하고 또 하나는 정권의 정당성을 담보하는 수단이다. 북한은 핵 군사강국과 경제발전을 위한 등 병진노선을 추구하고 있다. 그런데 핵을 포기하면 이 같은 병진노선이 와해된다는 것을 의미한다.

따라서 비핵화를 수용하기 위해서는 북한은 핵무기를 거래수단으로 남한, 미국과의 협상을 통해 체제안전을 보장받고 경제발전을 위한 재원을 취득하는데 그 목적이 있다.

핵 폐기가 북한정권의 정통성의 위기를 부르고, 그것을 보완하기 위한 획기적인 경제발전이 필요하다는 의미인가?

김 : 로드맵의 종착지는 평화협정이다. 평화협정 체결을 위한 마지막 단계에서 북미수교를 위한 협상이 동시에 진행돼야 한다. 그 단계에 이르기 전 남북관계는 상당히 개선돼 있어야 한다. 여기서 문 대통령이 주도권을 쥐어야 한다.

북한판 마셜플랜을 제안하는 것도 고려할 가치가 있다. 제2차 세계대전 이후 유럽부흥을 위한 마셜플랜은 미국 혼자 돈을 냈다. 북한판 마셜플랜은 6자 회담 참가 5개국들과 적어도 유럽연합(EU)이 참여하는 국제컨소시엄이 수백억 달러 규모의 지원 플랜을 만들어 북한을 유인해야 한다. 북미수교가 되면 북한은 세계은행과 아시아개발은행, 그리고 막 출범한 아시아인프라투자은행(AIIB)으로부터 수백억 달러 규모의 장기 저리 차관을 받을 수 있다.

방 : 북한이 경제개발, 경제현대화를 위한 시장지향적 개방을 수용하기 위해서는 정치개혁과 적대적 대외정책의 변화가 필요하다. 국내 정책이 변하지 않고는 대외정책도 변할 수 없다. 적대적 이념이 국가의 공식 지도이념으로 상존하는 한 북한경제의 세계화는 불가능하다고 본다. 자유노동시장의 개설, 사유화, 토지 임대, 사유기업 설립, 합작기업 설립에 관한 법과 시스템의 개혁이 포함돼야 한다. 시장지향적 개혁·개방으로부터 발생하는 부작용을 잠식시켜야만 인민을 통합하고 그들의 지지를 얻을 수 있을 텐데 모두 만만한 과제가 아니다.

핵무기의 폐기는 '선군'을 내세우는 북한정권의 정통성에 심각한 타격이 되지 않을까?

김 : 정통성이 약화되면 체제가 흔들리는 문제가 발생한다. 그럴 때 제일 위협적인 세력이 군부다. 이번에 문 대통령이 북에 고위 군사회담을 제안했다. 참

으로 지혜로운 전략이라고 볼 수 있다. 북한의 군부 엘리트로 하여금 남북대화나 협상 등 문제해결에 개입시키고, 그들에게 '평화의 배당금(peace dividend)'이 돌아가게 해야 한다. 군부가 김정은에 대한 최대 위협세력이기 때문이다. 군부 엘리트가 지금 누리는 외화벌이의 특권을 당분간 보장해줘야 한다는 것이다.

개성공단 자리는 북한의 남침 회랑이었다. 그 자리에 북한 2개 대대가 주둔하고 있었다. 김정일 국방위원장은 그 부대를 16km 후방으로 재배치했다. 그런데 김정은에게 그런 일은 가능하지 않다. 김정일처럼 확고하게 군을 장악하지 못하고 있기 때문이다. 그러니 북한의 군을 우리의 대화 파트너로 인정해야한다. 남북관계가 개선돼도 북한 군부의 특권에는 변함이 없다는 것을 군인들에게 암묵적으로 알리자는 것이다.

방: 정통성의 문제는 지금 성격이 달라졌다. 북한의 현재 경제체제는 이미 사회주의가 아니다. 북한 경제의 70%가 장마당에서 이뤄진다. 국가영역에서 창출되는 것은 10% 정도에 불과하다. 주체사상의 구현자로서의 김정은의 정통성은 사라져가고 있다는 얘기다. 북한판 마셜플랜을 거론하셨는데, 북에 대한 당근 제공은 한 국가가 주도해야 한다.

핵은 한국의 사활이 걸린 문제다. 핵을 완전히 포기하는 대가로 북한에 10년에 걸쳐 매년 300억 달러의 지원이 필요하다고 본다. 그 돈을 낼 수 있는, 또 내야하는 나라는 대한민국이다. 그 같은 재원을 지원하면서 시장경제 수용을 유도해야 한다.

북한의 경제개혁과 발전이 중국에 의해 이뤄지면 북한은 중국의 속국이 된다. 덩샤오핑은 경제를 개혁할 때 가장 먼저 군부를 설득했다. 군 병력을 축소해 인프라 산업에 투입시키면서 '군과 당 간부들이 나서서 돈을 벌어야 한다'고 독려했다. 김정은도 덩샤오핑의 사례를 참고할 필요가 있다.

"핵 폐기하면 정통성의 위기에 직면"

북한 지원을 남한이 주도하느냐, 아니면 국제컨소시엄을 구성하느냐 두 분 간에 이견이 있다.

방 : 남한주도와 국제컨소시엄은 상호 배타적인 것이 아니라 보완적인 것이다. 한국이 단독으로 나서면 북한이 신뢰하지 않을 우려가 있다. 그래서 국제컨소시엄으로 가는 것이 좋다는 것이다. 북미 수교만 되면 국제통화기금(IMF)과 세계은행에서 100억 달러 단위 이상으로 돈을 빌려 쓸 수 있다. 거기에 미국·중국·러시아·일본·EU가 참여해야 북한의 신뢰를 얻을 수 있다. 그래야 북한은 약속을 위반할 때 직면할 국제적 반발을 무서워할 것이다.

방 : 북한이 비핵화를 수용하고 김정은 체제가 생존하려면 매년 10% 이상의 경제발전을 이뤄야 한다. 현실적으로 10% 이상의 고도성장에 필요한 재원을 부담할 수 있는 나라는 한국 말고는 없다. 북한경제의 개혁·개방에 따르는 혜택을 가장 많이 받는 나라가 남한이다. 남한이 주도하는 것이 맞다.

김 : 영국이나 EU 국가 정부가 상징적인 액수만 출연해도 해당 국가의 기업들은 북한에 엄청난 투자를 하게 될 것이다. 핵이 완전히 제거되고 평화체제 안의 북한은 투자처로 매력이 있기 때문이다. 북한이 10% 이상 고속성장할 수 있다고 본다. 북한의 정통성 문제도 군(무력)에서 경제로 전환될 수 있다. 정통성은 총구에서 나오는 것이 아니라는 사실을 우리는 박정희 시대에 체험하지 않았나? 정통성이 경제에서 나온다는 말은 잘 먹고 잘 살게 돼야 국민이 정권과 체제를 지지한다는 의미다.

방 : 김정은 위원장이 아버지로부터 물려받은 체제는 이미 사회주의체제가 아니었다. 현실 속 북한사회와 국가의 통치이념과는 괴리가 존재하는 것이다. 비핵화를 수용할 경우에 정권의 정당성은 할아버지-아버지의 유훈통치에서 오는

게 아니라 경제발전을 통해 인민들로부터 나오게 될 것이다. 우리가 인식하지 못하는 것이 있다. 비핵화 그 자체로 평화공존을 담보하지 못한다는 사실이다. 북한경제가 세계경제와 통합되는 방향으로 나아가야 비로소 남북한의 평화공존에 기초한 경제협력이 가능해지리란 것이다.

시장경제의 도입은 김정은에게 체제의 붕괴를 암시하는 것 아닐까?

김: 비핵화가 어느 날 갑자기 떨어지는 것은 아니다. 관계개선의 축적에서 오는 것이다. 북한이 비핵화를 하고 마셜플랜 등을 받아들여도 사회경제발전의 모델은 중국과 베트남을 따라가는 것이다. 일당독재는 그대로 가는 것으로 봐야 한다. 고르바초프가 그걸 못해서 소련이 무너진 것 아닌가.

그에 비해 덩샤오핑은 굉장히 현명했다. 중국 공산당 일당 독재를 유지하면서 시장경제를 도입한 것이다. 장쩌민 국가주석의 집무실에는 '철골상춘(鐵骨常春)'이라는 액자가 걸려 있었다. 철골은 일당독재, 상춘은 번영하는 시장경제를 의미하는 것이었다. 북한이 경제발전을 서둘러야 하다는 지적은 정확하다. 경제발전을 통해 새로운 정통성을 확립해야 하기 때문이다.

방: 정치에서는 공산당 독재(일당 독재)를 중국처럼 하면 된다. 대신 경제 부문에서는 경제활동의 자유를 보장해야 한다. 북한이 개혁·개방을 중국식으로 하지 않으면 경제발진은 사실상 불가능하다.

김: 과거 조지 W. 부시는 이라크 전쟁에 개입해 엄청난 손해를 봤다. 이 순진한 사람이 미국식 민주주의를 중동에 심을 수 있다고 생각한 것이다. 우리가 북한한테 마셜 플랜이든 뭐든 지원을 하고, 평화협정을 맺더라도 그런 실수를 해선 안 된다. 너희들 일당 독재하지 마라, 미국식 민주주의 해라, 이런 식의 주입은 꿈도 꾸지 말아야 한다.

핵 폐기 후 주한미군철수가 중국 설득 카드?
그간 5자 관여국(한국 · 미국 · 중국 · 일본 · 러시아)은 왜 북한 비핵화에 실패했을까?

방: 관여국이 공조할 수 있는 공통의 정책(shared common policy)이 없었기 때문이다. 중국과 러시아의 공조를 얻기 위해서는 그들 나라의 한반도에 결부된 전략적인 이해와 우려를 정확히 파악해야 한다.

중국의 공조를 확보하기 위해서는 비핵화 이후 북한이 핵 없는 국가로 경제발전을 통해 생존의 길을 확보하고, 비핵화가 완결되는 시점에서는 한반도에서 미군이 철수한다는 안을 제시해야 한다.

중국은 북한이 붕괴됐을 때 남한이 북한을 흡수통일하는 것을 원하지 않으며, 비핵화가 미국의 군사적 영향력 확대로 이어지는 것도 극력 반대하기 때문이다.

김: 6자 회담이 북한 비핵화에 실패한 가장 큰 이유는 동북아의 지정학적 틀에서 한반도에 평화를 정착시키는 구상을 소홀히 하고, 오로지 비핵화에만 올인했기 때문이다. 부시 정부 당시에는 북한 비핵화정책은 있어도 북한정책, 한반도정책은 없었다.

주한미군문제는 사실 복잡한 사안이다. 미중 관계와 남북관계가 마치 동심원처럼 중첩돼 있는 것이다.

최근 헨리 키신저가 북한 정권이 붕괴해 한반도가 통일된 후에는 주한미군의 대부분을 철수하는 카드를 가지고 중국과 합의하면 비핵화할 수 있다고 주장했다. 그러나 북한 붕괴라는 전제가 비현실적이다. 미국과 중국이 한반도 문제를 요리하자는 것인데 한국 입장에서 키신저의 제안을 동의하기 어렵다. 중국과 헤게모니 다툼을 벌이고 있는 미국 입장에서도 받아들일 수 없는 것이다.

주한미군철수 문제가 북한 비핵화의 핵심 전략이 될 수 있을까?

방 : 문 대통령이 핵 문제를 해결하려면 정말 획기적이고 담대한 구상이 필요하다. 지금 미국은 북한과 전쟁을 할 수 있는 상황이 아니다.

선세나락론도 사실은 현실적으로 가능하지 않은 옵션이다. 비핵화가 완진히 이행돼 평화체제가 구축되면 미군이 한반도에서 철수하는 카드는 중국을 움직일 수 있는 강력한 수단이 될 수 있다.

김 : 졸렌(Sollen, 당위론)과 자인(Sein, 현실론)의 문제다. 총장께서는 당위론을 말씀하시는 거고 나는 현실론적 입장에서 어렵다고 말하는 것이다. 주한미군철수 얘기가 나오면 우리보다도 일본이 먼저 미국에 가서 철수반대 로비를 한다. 주한미군이 일본방위의 핵심이기 때문이다.

1970년대에 주한미군철수 얘기가 나왔을 때 내가 워싱턴 특파원을 지냈다. 의회 청문회가 열리면 군 장성들이 증인으로 나와 주한미군은 일본방위를 위해 사활적(vital) 존재라는 말로 철군반대론을 폈다. 이런 논리는 지금도 변함이 없다. 남중국해 문제 때문에 지금은 그런 논리가 더 강해졌다. 주한미군철수는 현실적으로 실현불가능하다고 본다.

방 : 중요한 것은 중국의 동조와 공조 없이는 비핵화가 절대 이뤄지지 않는다는 점이다. 남북한이 비핵과 평화체제를 달성한 후에도 미군이 주둔해 영향력을 확대한다는 것은 중국 입장에선 받아들이기 힘든 것이다.

쿠바 위기 때 케네디 대통령이 어떻게 했나. 쿠바의 소련 핵미사일을 철수시키기 위해 터키의 전술핵을 철거했다. 닉슨 대통령이 키신저와 함께 중국에 갈 때 대만에서 손을 떼지 않았나? 그런 담대한 '기브 앤 테이크' 정책 없이 우리 욕심만 내세워 중국에 도와달라고만 하면 그게 과연 이뤄질 수 있을까?

김: 중국의 적극적인 역할 없이는 안 된다는 견해엔 동의한다. 그런데 중국을 참여시키기 위해 미군철수 카드를 내놔야 한다는 데에는 생각이 다르다. 트럼프 정부가 중국에 대해 쓸 카드는 아직 많이 남아있다.

안 쓰는 게 문제다. 301조도 있고, 환율 조작국 지정, 철강을 포함한 수입품에 대한 관세, 인권문제 등 중국에 대한 치명적인 카드들이 남아있다. 그런 카드를 쓰면 미군철수까지 안 가고도 중국을 움직일 수 있다.

그런데 트럼프는 중국이 충분히 협조하지 않는다고 불평만 늘어놓고 중국이 아파할 조치는 취하지 않는다. 미군철수라는 장검 대신 제대로 된 경제제재라는 단검으로 중국으로 하여금 북한을 움직일 수 있다는 말이다.

방: 중국은 북한을 중요한 전략자산으로 생각하기 때문에 북한이 핵을 포기한 이후에도 북한이 생존해야 한다고 생각한다. 평화적으로 핵 문제를 해결하되, 그것이 미국의 영향력 확대로 이어져선 안 된다는 것이 또한 중국의 생각이다.

러시아도 중국과 정책목표가 거의 같다. 또한 중국이 유류공급을 중단했을 때 러시아가 공조하지 않게 되면 북한은 러시아로부터 필요한 유류를 제공받을 수 있다.

따라서 중국의 공조도 필요하지만 러시아의 공조도 동시에 필요하다는 것이다. 김 대기자가 말씀하신 것처럼 미국이 움직일 수 있는 중국 압박카드는 여러 가지가 있다.

그러나 그런 압박카드만으로는 중국이 거기에 굴복해서 북한에 압력을 가하지 않을 것이다. 북한의 비핵화를 유도하기 위해서는 북한체제가 유지할 수 없을 정도로 압박을 격상시켜야 하는데 중국은 이에 동조하지 않을 것이라는 점을 주지해야 한다.

"주한미군은 한국이 감수해야 할 뜨거운 감자"
북한을 포함한 관여국들이 모두 받아들일 수 있는 타협안은 어떻게 도출될 수 있을까?

김: 많은 아이디어가 미국에서 나오고 있다. 조지 W. 부시 정부, 오바마 정부 시절 연이어 국방장관을 역임한 로버트 게이츠의 발언에 주목할 필요가 있다.

그는 7월 11일 언론 인터뷰에서 ▷북한은 핵을 포기하지 않는다, ▷북한 체제를 인정하고 경제제재를 포기하라, ▷북한과 평화협정을 맺어라, ▷북한의 10개 내지 20개의 핵탄두 보유를 인정하라, ▷한국내 군사력 구조를 조정하라 등이다.

「뉴욕타임즈」에 실리는 전문가들의 칼럼도 대부분 이런 방향의 논조다. 특히 한미합동군사훈련의 대폭축소나 중단이 많이 거론된다. 한미합동군사훈련 중단은 고려해볼 만하다. 북한이 도발을 계속하면 훈련을 재개하면 되는 것이다.

지금 전쟁 분위기가 너무 고조되고 있다. 이 뜨거운 주전론(jingoism)을 일단 식혀야 한다. 김정은과 트럼프 둘 다 예측 불가능한 인간들이어서 돌발적으로 어떤 일을 저지를지 모른다.

미국은 북한의 비핵화 이후에도 중국의 군사굴기에 대한 억지력의 하나로 주한미군을 필요로 한다. 그런 사태는 한국이 중국에 대해 말 그대로의 자주외교를 할 수 있을 때까지 한국이 감수해야 할 뜨거운 감자다.

북한의 핵 포기와 미국의 영향력 강화가 동시에 추진되는 것을 중국은 받아들일 수 없다. 북한이 핵을 포기하고 한반도에 평화체제가 구축되면 미군철수 또는 감축문제는 논의할 수 있을 것이다. 지금 이런 입장을 미국과 중국에 전달하는 것이 현명하다.

중국이 과연 북한으로 하여금 핵을 포기할 수 있는 능력이 있는 것인가?
왜 중국은 송유관 차단의 결단을 내리지 못하나?

방 : 못하는 게 아니라 안하는 것이다.

김 : 그렇게 하려면 조건이 갖춰져야 한다. 중국은 완충지대로서의 북한을 절대적으로 원한다. 중국은 송유관을 차단하면 북한이 비핵화하기도 전에 쓰러져버릴 수 있다고 생각한다. 그 대목이 바로 중국의 딜레마다. 어디까지 압박을 가해야 붕괴를 피하고 비핵화를 달성할 것인가에 대한 계산이 나오지 않는 것이다.

방 : 중국은 북한의 비핵화를 위한 정책목표가 북한체제의 붕괴의 결과로 이어지는데 반대한다. '제재를 위한 제재'는 하지 않겠다는 입장이다. 제재로 인해 북한이 붕괴하면 재앙이 닥치기 때문이다. 문 대통령도 북한에 핵 포기를 위한 출구전략 없이 북한정권이 붕괴에 이를 정도의 제재에 대해서는 반대해야 한다.

전문가들은 내년 초 북한이 미국 본토에 이르는 ICBM을 실전배치할 수 있다고 본다. 미국의 대응카드를 전망, 분석한다면?

김 : 미국 입장에서는 대륙간 탄도미사일(ICBM)의 재진입 기술을 포함한 완성단계 이전에 선제공격해야 한다는 것이다. 우리는 ICBM과 상관없다. 북한은 스커드 미사일만 해도 600개를 갖고 있는데, 그것만 가지고도 남한을 초토화할 수 있다. 그러니까 우리는 미국에 대해 분명히 입장을 밝혀야 한다.

미국에 대해 선제공격은 안 된다는 입장을 밝히면서 동시에 대안을 내놓아야 한다. 문 대통령이 바로 그 대안을 준비해야 한다. 핵 동결이 출구, 폐기가 출구라고 해놓고서 그 로드맵이 없다는 게 문제다. 선언만 가지고는 안 되고 실천적인 방안을 내놓으라는 얘기다. 미국의 대응은 전쟁 일보 직전까지 갈지도 모른다. 벌써 북한은 괌을 포위 공격하겠다고 위협하고, 트럼프는 북한이 '불과 분노와 힘'에 직면할 것이라고 위협했다.

참으로 아슬아슬한 위기상황이다. 다행히 미국에는 이성을 잃지 않은 사람도 많다. 미국의 선제타격이나 예방전쟁은 제2의 한국전쟁으로 확전될 것이기 때문에 결코 해서는 안 된다는 목소리가 나오고 있다.

방: 문 대통령이 미국·중국·러시아·일본이 동시에 수용할 수 있는 공동의 대북정책안을 서둘러 내놓아야 한다. 가장 유효적절한 채찍(압박과 제재)과 당근(보상책)이 마련되지 않으면 미국은 북한의 비핵화를 달성하기 위해 결국 군사적 수단을 동원하게 될지도 모른다.

"경제 지원의 이니셔티브 한국이 쥐어야"

5자 관여국의 공동안, 과연 어떤 내용으로 채워야 북한을 설복할 수 있을까?

김: 그동안 6자 회담은 북한의 핵만을 논의했기 때문에 실패한 것이다. 전체 구도, 동북아의 지정학적 구도를 무시했다. 부시 정부는 두 임기 처음 6년 동안은 북한을 악의 축으로 낙인 찍고 대화조차 거부했다.

마지막 2년에 비핵화를 서둘러 봤지만 너무 늦었다. 김정일 생전에 핵 문제 해결의 기회를 놓쳤다. 2000년 10월 북한의 조명록이 워싱턴을 방문하고 미국 국무장관 올브라이트가 평양을 방문할 때가 최적의 기회였다.

그러나 그해 11월 대선에서 부시가 당선돼 클린턴의 정책을 모조리 뒤집는 ABC(all but Clinton: 클린턴 것이 아니라면 다 좋다) 정책을 쓰는 바람에 모든 것이 증발돼버렸다.

지금은 다자의 틀에서 무엇을 만들 수 있느냐를 고민해야 한다. 그 고민을 중국이 앞장서서 할 리는 없다. 미국이 앞장서서 할 수 있는 것은 지금 상황으로 선 군사적 옵션밖에 없다. 일본과 러시아는 특별히 나설 동기가 없다. 결국 한국이 이니셔티브를 쥐고 해야 한다는 결론이다.

독일이 아주 장기적인 호흡으로 통일외교를 펼쳤던 사례를 통해 배워야 한다. 주변국의 동의와 지지를 받아야 한다. 다자의 틀에서 비핵화를 하되 북한 정권의 안전을 보장해야 한다. 결국은 평화체제로 가는 포괄적인 플랜이다.

방: 포괄적이고도 일괄타결적인 안이 필요하다. 미국은 체제보장을 해주고 한국은 군축과 평화조약을 추구해야 한다. 언급한 대로 경제적 지원의 이니셔티브도 한국이 쥐어야 하는데, 그런 지원의 조건 안에는 북한이 세계경제와의 통합을 위한 경제체제의 개혁안이 들어 있어야 한다.

북한도 핵무기뿐 아니라 화학·생물학 등 모든 대량살상 무기를 내려놓아야 한다. 그러기 위해서는 북한에 양자택일 조건을 제시해야 한다.

5자 관여국은 북한이 핵무기 개발을 지속함으로써 제재와 압박으로 인한 체제붕괴 위협을 감수하거나, 아니면 비핵화를 수용하는 대가로 경제개발기금을 공여받아 경제현대화로 체제생존을 추구하든가 하는 양자택일이다. 경제현대화의 구체적 방법론은 시장지향적 개혁과 개방이다.

북한이 비핵화를 수용한 후에도 미군이 그대로 주둔한다면 중국이 북한에 대한 결정적인 핵 포기 압력을 행사할 수 없다. 그러니까 목표가 무엇인지를 분명하게 결정해야 한다. 북한의 핵 포기와 미국의 영향력 강화가 동시에 추진되는 것을 중국은 받아들일 수 없는 것이다.

북한이 핵을 포기하고 한반도에 평화체제가 구축되면 미군은 철수한다는 카드를 문 대통령이 트럼프에게 이야기할 수 있어야 한다. 그 정도 담대한 결심을 하지 못하면 북핵문제는 풀리지 않는다.

한반도에 평화를 가져오는 방법을 문 대통령 스스로 찾아야 한다는 결론에 도달했다.

방 : 위기가 기회라는 말이 있다. 갈등이 극한에 달했을 때가 대화가 시작되는 전조라고도 볼 수 있다.

남북한이 세계에서 가장 위대한 국가로 발전할 수 있는 기회가 온 것인지도 모른다. 악조건 하에서 단합해 도전하는 국민이 돼야 한다. 문 대통령이 그런 도전의 리더가 돼야 한다.

김 : 미국도 선제타격 등 군사적 옵션이 성공할 수 있다는 기대를 버려야 한다. 선제타격이면 성공할 수 있느냐, 그게 아니라는 얘기다. 북한은 모든 핵ㆍ미사일 시설을 국토전역에 산재해놓고 있다.

또 요즘 북한은 이동식 발사대를 사용하고, 무한궤도차량을 이용해 산으로 올라가버리기도 한다. 산으로 올라가서 숲 속에 숨어있는 미사일을 어떻게 찾겠나?

핵무기는 실제로 사용할 수 있는 무기가 아니다. 사용 즉시 북한은 궤멸한다. 그래서 북한 핵은 협상을 통해 언젠가는 사라질 위협수단에 불과하다.

북한 비핵화를 위한
전략적 구상과 정책방안

문재인 대통령을 위한 제언

이 제언의 주된 목적은 문재인 대통령이
북한의 비핵화를 6자 회담의 틀을 통해 평화적으로
달성하고 남북한 화해와 협력에 기조한 공동의
경제적 번영의 장을 열 수 있는 객관적 · 전략적
구상과 정책안을 제시하는데 있습니다.

_____ 북한, 비핵화와 시장지향적 개혁·개방을 통한
동태적 경제발전

이 요약문은「북한의 비핵화를 위한 전략적 구상과 정책방안－문재인 대통령을 위한 제언－」이라는 제목으로 출간될 책의 내용을 요약한 것이다. 이 책의 주된 목적은 문재인 대통령이 북한의 비핵화를 6자 회담의 틀을 통해서 평화적으로 이룩하고 남북한간의 화해와 협력을 통한 공동의 경제적 번영의 장을 마련하는 전략적 구상과 정책방안을 제시하는데 있다.

이 책의 핵심 논점은 남한이 주도하고 선도적으로 역할을 담당하지 않고는 북한의 핵 개발로 인한 재앙과 파탄을 방지할 수 없을 뿐만 아니라 6자 회담의 틀을 통해 북한의 비핵화를 평화적으로 이룩하고 한반도에 평화와 안전에 기조한 남북한 공동의 경제적 번영을 성취할 수 없는지를 설명하는데 역점을 두었다.

북한의 비핵화를 평화적으로 이룩하기 위해서 5자 관여국들이 공동으로 북한이 핵을 포기하는 조건으로 시장지향적 개혁·개방을 단행해 경제현대화를 통한 체제생존을 도모하도록 진정성 있는 기회를 부여해야 하는지에 대한 객관적 이유와 근거를 분석하고 제시하는데 중점을 두었다.

북한이 수용하고 시장지향적 개혁·개방을 통한 경제현대화 작업에 나서기로 동의할 경우 왜 남한이 북한의 현대화를 돕기 위해 북한통치체제의 안전을 보장하고 현대화 과정에 필요한 재원을 공여해야 하는지에 대한 객관적 이치(reason)를 제시한다.

북한의 비핵화를 평화적으로 달성하고 한반도에 평화와 안정을 도모하고 남북한 공동의 경제적 번영을 이룩하기 위한 객관적인 대북 비핵화정책안을 도출하고 입안하는데 반드시 제시되어야 할 문제점들을 분석하고 고찰하였다. 북한의 비핵화를 위한 전략적 구상과 객관적 정책안의 입안과 관련하여 이 책에서 제기하고 논한 의제들을 참고로 다음에 제시한다.

⑴ 북한의 핵무기 개발이 새로 취임한 문재인 대통령이 직면하고 해결해야 할 한민족의 사활이 달린 위급한 현안문제로 부상하게 된 이유는 무엇일까?

⑵ A. 새로 출범한 트럼프 행정부는 북한의 비핵화를 반드시 이루겠다는 확고한 의지를 대내외에 처명했다 그러나 트럼프 행정부가 북한의 비핵화를 실현하기 위한 강한 의지를 밑받침할 합리적 · 전략적 구상과 객관적인 공동의 대북 비핵화정책안을 갖고 있다는 증거를 찾아볼 수 없다. 대북 비핵화와 관련해 지금까지 트럼프 행정부가 선보인 대북제재와 선제공격을 포함한 군사적 행동이 북한의 핵 개발을 종식시키기 위한 수단으로 고려될 수 있다는 압박만으로는 북한의 비핵화를 달성할 수 없는 이유는 무엇일까? 미국의 오바마 대통령이 그의 임기 8년간 주재하고 추진했던 대북 비핵화정책이 실패한 이유는 무엇일까?

B. 위에서 열거한 미국 트럼프 행정부의 북한 비핵화를 위한 정책수단 즉, 강도 높은 대북제재와 선제공격이 실행으로 옮겨질 경우 한반도에 극심한 파탄과 재난이 올 수밖에 없는 이유는 무엇일까? 왜 문재인 대통령이 주도하고 조율하지 않고는 북한의 비핵화를 평화적으로 해결할 수 없는 이유는 무엇일까?

⑶ 6자 회담의 틀을 통해 북한의 비핵화를 실현하기 위해서는 남한이 객관적 공동의 대북 비핵화정책을 입안하고 조율하는데 앞장서지 않는 한 북한의 비핵화를 합리적으로 달성할 수 없다.

A. 6자 회담의 틀을 통해 북한의 비핵화를 실현하기 위해서는 왜 남한은 북한이 비핵화를 수용하는 조건하에 시장지향적 개혁 · 개방을 단행해 경제 신흥 부국으로 변신할 수 있도록 진정성 있는 기회를 부여하는데 앞장서야 할까?

B. 북한이 핵을 포기하는 조건으로 시장경제를 도입해 경제현대화를 통해 체제생존을 모색할 수 있도록 남한이 체제안전을 보장하고 경제현대화 과정에 필요한 재원을 지원해야 하는 이유는 무엇일까?

C. 북한의 비핵화의 수용이 반드시 시장지향적 개혁·개방을 통한 경제현대화 작업을 수반하지 않는 한 한반도에 평화와 안정을 도모할 수 없을 뿐만 아니라 남북한 공동의 경제적 번영을 이룰 수 없는 이유는 무엇일까?

(4) 5자 관여국들이 동원하고 적용한 대북제재와 압박으로 인해 김정은 정권이 돌발적인 붕괴를 자초할 경우

A. 남한에 의한 정치적 통합 즉 흡수통일로 연결되지 않는 이유는 무엇일까?

B. 비핵화(CVID)의 실현을 의미하지 않는 이유는 무엇일까?

C. 한반도에 극심한 파탄과 재난을 초래하게 되는 이유는 무엇일까?

D. 북한의 인민들이 남한에 의한 정치적 통합, 즉 흡수통일을 원치 않는 이유는 무엇일까?

(5) 김정은 정권의 붕괴로 인해 흡수통일이 실현될 경우 북한의 경제현대화에 소요되는 비용(통일비용)이 북한이 자체적으로 경제현대화를 실현하는 비용보다 몇 배로 증가하는 이유는 무엇일까?

(6) 북한이 핵을 포기하고 핵 없는 국가로 생존할 수 있고 공신력 있는 생존전략을 남한이 제시하지 않는 한 북한이 비핵화를 수용할 수 없는 이유는 무엇일까?

북한의 비핵화와 관련해 제기되고 분석되어야 할 질문

(7) A. 김정은 정권이 비핵화(CVID)를 수용할 경우 시장경제를 도입하여 경제현대화를 시도하지 않는 한 체제생존이 보장되지 않는 이유는 무엇일까?

B. 북한이 시장지향적 개혁·개방을 이행하지 않는 한 동태적·지속적 경제성장을 통한 경제현대화를 이룩할 수 없는 이유는 무엇일까?

(8) A. 핵무기 개발 프로그램이 북한 김정은 체제의 생존과 직결된다고 인식하고 있는 이유는 무엇일까?

B. 북한이 비핵화를 수용하는 조건으로 5자 관여국들로부터 경제적 보상과 체제안정을 보장받는 것만으로는 체제생존이 담보되지 않는 이유는 무엇일까?

(9) A. 북한이 비핵화를 수용하고 시장지향적 개혁·개방을 통한 경제현대화 작업에 나설 경우 김정은 통치자가 극복해야 할 걸림돌과 장애요인은 무엇일까?

B. 국가의 공식 지도이념이 변화하지 않고는 세계경제와의 통합을 목적으로 하는 개방도 불가능할 뿐만 아니라 시장지향적 체제개혁도 불가능한 이유는 무엇일까?

C. 북한이 핵을 포기하고 시장지향적 개혁·개방을 단행하여 경제현대화 작업에 나설 경우 연 경제성장률의 목표를 10% 이상 높이 설정하지 않고는 체제안전이 보장되지 않는 이유는 무엇일까?

D. 북한이 핵을 포기하고 시장지향적 개혁·개방을 시행해 경제현대화 작업에 나설 경우 국가의 안보를 보장하기 위한 관료주의 통제기능 중 이

념의 교화와 배급제도의 이완을 어떻게 효과적으로 대체하고 조율할 수 있을까?

(10) A. 북한이 핵무기 개발을 지속 감행할 경우 5자 관여국들이 가동하고 적용한 대북제재와 압박이 북한통치체제의 안전과 생존에 미치는 11가지의 불안정 요인들은 무엇일까?

　　 B. 북한이 핵무기 개발을 고도화하면 할수록 체제 불안정 요인이 증폭되는 이유는 무엇일까?

(11) A. 5자 관여국들과 북한 간에 어떤 조건들이 제시되고 충족되는 여건에서 북한이 비핵화를 수용하더라도 이로 인하여 야기되는 불안정 요인들이 체제붕괴로 발전하는 것을 막을 수 있을까?

　　 B. 시장경제를 도입하여 경제현대화를 이룩하기 위해 비핵화를 수용할 경우 개혁·개방 과정에서 야기되는 불안정 요인들을 효과적으로 통제하고 동태적·지속적 경제성장을 이룩하려면 5자 관여국들로부터 어떤 조건들과 조치들을 보장받아야 할까?

(12) 5자 관련국들이 가동한 대북제재와 압박의 범위와 수위가 확대되고 고조되어 체제생존이 불확실하게 될 경우 북한은 핵을 포기하기보다 강압적 협상을 유도하기 위해 무력도발을 감행할 수밖에 없는 이유는 무엇일까?

(13) 북한이 핵을 포기하고 시장경제를 도입해 체제생존을 모색할 경우 남한의 실질적인 지원과 배려 없이는 체제생존이 보장되지 않는 이유는 무엇일까?

(14) A. 어떤 의미에서 북한은 실패한 국가일까?

　　 B. 북한의 국가 공식 지도이념과 사회현실 간에 모순과 부조리가 유래(originate)하게 된 원인과 이유는 무엇일까?

C. 북한의 사회주의 국가 공식경제 부분인 제조업(manufacturing)과 화폐금융 부분이 그 기능을 완전히 상실하게 된 이유는 무엇일까?

(15) 북한의 총무역액 중 90% 이상이 중국과의 거래를 통해 이루어진다.

A. 북한의 중국에 대한 무역의존도가 높아진 이유가 무엇일까?

B. 북한의 대중 수출품목 중 저기술을 요하는 갈탄, 석탄 및 금 등 리카도 품목이 주류를 이루는 이유는 무엇일까?

C. 중국이 ① 연간 50만 톤씩 북한에 공급해온 유류 공급 ② 북·중 간에 무역 ③ 북한으로부터 중국 인력 송출 ④ 그리고 북·중간에 항공기 운항 등을 전면중단할 경우 북한통치제재의 안전과 생존에 어떻게 영향을 미칠까?

미국과 관련하여 제기되는 문제점

(16) 미국의 클린턴, 부시 및 오바마 등 역대 대통령들이 추구해왔던 대북 비핵화정책이 실패했던 주된 원인은 무엇일까?

(17) 새로 출범한 트럼프 행정부는 북한의 비핵화를 반드시 관철하겠다는 확고한 의지를 대내외에 표명했다. 그러나 미국은 북한의 비핵화를 이룩하겠다는 강력한 의지를 밑받침할 객관적·전략적 구상과 정책을 갖고 있지 않다. 미국의 대북 비핵화정책의 핵심을 이루는 대북제재와 압박 및 선제공격을 포함한 군사적 행동이 북한의 핵무기 개발을 종식시키기 위한 수단으로 동원될 수 있다는 압박만으로 비핵화를 달성할 수 없는 이유는 무엇일까?

(18) 미국이 북한의 비핵화를 평화적으로 이룩하기 위해서는 북한에 실질적으로 정치·경제적 영향력을 행사할 수 있는 중국의 공조가 필수적인 것이라는 것에 이견이 없다. 그러나 미국이 남한의 공조와 협력 없이 북한의 비핵화를 평화적으로 달성할 수 없는 이유는 무엇일까?

(19) 미국은 북한의 비핵화를 위해 필수적인 중국의 자발적 공조와 압박에 의한 불가피한 공조를 확보하기 위한 어떤 정책수단들을 동원할 수 있을까?

중국과 관련하여 제기되는 문제점

(20) 북한의 비핵화를 실현하기 위해서는 북한에 실질적 영향력을 행사할 수 있는 중국의 공조가 필수적이라는데 북한전문가들의 이해가 일치한다. 중국의 공조를 확보하기 위해서는 한반도에 관련한 중국의 전략적 이해와 우려를 정책안에 반영하고 구체화해야 한다. 대북 비핵화정책안 내에 중국의 한반도에 결부된 전략적 이해와 우려를 반영하고 구체화하려면 어떤 조치들과 수단들이 포함돼야 할까?

(21) 어떤 공동의 대북 비핵화정책을 채택해야 중국은 북한이 비핵화를 수용하지 않고는 체제생존이 유지될 수 없도록 대북제재의 수위와 강도를 확대하고 격상시키는데 동의할까?

(22) 북한은 중국에 전략적 자산(asset)이었지만, 정권은 부채(liability)였다. 중국은 남한과 완충지대 역할을 담당해온 북한을 여전히 필요로 한다. 어떤 여건이 충족되는 조건에서 중국은 나머지 4자 관여국들과 공동으로 김정은 정권의 교체를 모색하는데 동의할까?

(23) 중국의 시진핑 주석은 북한의 통치자가 바뀔 때마다 먼저 북한의 새로운

통치자를 접견해온 관례를 깨고 남한의 박근혜 전 대통령을 6번이나 회동했던 이유는 무엇일까?

(24) 남한의 대북 비핵화정책안 내에 중국의 한반도에 결부된 이해와 국익을 어떻게 반영하고 구체화해야 중국은 남북한 간의 경제적 통합을 거쳐 정치적 통합으로 가는 한민족의 염원을 협조하고 지지할까?

1
북한의 핵무기 개발이
위급한 현안문제로 부상한 이유

트럼프 행정부가 출범한 이후 북한의 핵 및 장거리 미사일(ICBM) 프로그램 개발과 관련한 일련의 사태진전으로 인해 북한의 핵무기 개발이 문제인 대통령이 직면하고 해결해야 할 한반도에 사활이 걸린 중대하고 위급한 현안문제로 부상하게 된 연유부터 말씀드리겠습니다.

지난 1월 20일 새로 출범한 미국의 트럼프 행정부는 북한이 핵탄두로 미국 본토를 공격할 수 있는 대륙간 탄도미사일(Intercontinental Ballistic Missile)의 개발을 절대로 용납하지 않겠다는 확고한 의지를 수차례 대내외에 천명한 바 있습니다. 또한 미국은 유엔 안보리를 통한 대북제재와 미국이 독자적으로 이행하는 대북압박이 북한의 핵무기 개발을 저지하는데 실패할 경우 선제공격(preemptive strike)을 포함한 군사적 행동이 북한의 핵무기 개발을 저지하기 위한 수단으로 고려될 수 있다는 점을 분명히 피력했습니다.

이와 같은 트럼프 행정부의 표명은 과거 8년간 오바마 행정부가 추구해온 전략적 인내(strategic patience)에서 탈피하여 미국의 대북 비핵화정책이 강경노선으로 선회했음을 단적으로 시사하는 바입니다.

한편 미국 본토를 공격할 수 있는 북한의 대륙간 탄도미사일 프로그램이 최종단계에 진입했다는데 군사전문가들의 견해가 일치합니다.

이와 같은 북한의 장거리 미사일 및 핵무기 개발의 급진전은 미국의 확고한 비핵화에 대한 의지와 맞물려 북한의 핵 개발 문제가 한민족의 운명을 좌우하는 중대하고 시급한 현안으로 부상하게 됐습니다.

지난 3월 8일 중국의 왕이 외교부 장관이 한반도를 둘러싼 긴장국면이 마치 '마주보고 달려오는 두 열차와 같다'라고 피력한 것도 북한의 핵무기 개발로 인한 북·미간의 갈등국면이 얼마나 긴박하고 심각한지를 보여준 것이라고 생각합니다.

2

남한의 주도적 역할·조정 없이는 비핵화를 평화적으로 이룩할 수 없는 이유

문재인 대통령의 주도적 역할과 조정(mediation)이 없이는 북한의 비핵화를 6자 회담의 틀을 통해 평화적으로 이룩할 수 없는 이유에 대해서 말씀드리겠습니다.

미국의 트럼프 행정부는 북한의 핵무기 개발을 절대로 허용할 수 없다는 확고한 의지를 천명했음에도 불구하고 미국은 북한의 비핵화를 달성하기 위한 객관적 전략과 정책방안을 보유하고 있지 않습니다. 단지 미국은 유엔 안보리의 결의에 의한 제재에 미국이 독자적으로 동원할 수 있는 압박을 보강(reinforcement)하게 되면 북한의 핵무기 개발을 저지할 수 있다고 믿고 있습니다.

왜 제재와 압박만으로는 북한의 비핵화를 달성할 수 없는지에 대해 그 이유를 말씀드리겠습니다. 미국은 유엔 안보리를 통한 제재 이외에도 미국이 독자적으로 동원할 수 있는 제반 압박수단을 보유하고 있습니다. 이 압박수단 중에는 세컨더리 보이콧(secondary boycott), 외교적 고립, 인권침해, 한미연합군사훈련, 첨단전략자산의 한반도 주변 배치 그리고 해상봉쇄 및 선제공격을 수반한 군사적 위협 등이 포함되어 있습니다. 이와 같이 미국이 가동할 수 있는 제반 대북 압박수단에도 불구하고 미국은 군사적 수단을 제외하고는 북한이 비핵화를 수용할 수 있도록 강제할 수 있는 실질적이고 결정적 대안을 갖고 있지 않습니다.

북한이 비핵화를 수용하도록 실질적인 영향력과 압박을 행사할 수 있는 국가는 5자 관여국들 중 오직 중국뿐입니다. 이것은 중국의 실질적인 공조 없이는 북한의 비핵화를 이룩할 수 없다는 것을 의미합니다. 중국은 북한에 연간 50만 톤의 유류를 공급하고 있으며 북한의 총무역액 중 대중국 무역액이 90% 이상(2015년도 91.3%)을 차지합니다. 만약 북한의 최대 무역국인 중국이 북한에 대한 유류공급을 전면중단한다면 일 년 내에 북한의 경제가 완전히 와해되고 붕괴된다는 것이 본인을 포함한 북한전문가들의 공통적인 의견입니다. 그러나 중국은 유엔 안보리 결의에 따른 대북제재가 북한을 6자 회담의 장으로 유도하기 위한 수단으로 사용하는데 국한되어야 한다는 공식입장을 견지해 왔습니다. 부연하면 중국은 대북제재가 북한 통치체제의 붕괴를 위한 수단으로 이용되는 데는 반대합니다. 이것은 제재와 압박만으로는 결코 북한의 비핵화를 실현할 수 없다는 것을 의미합니다.

제재와 압박만으로는 북한의 비핵화를 달성할 수 없는 또 하나의 이유가 있습니다. 대북제재와 압박의 범위와 수위가 확대되고 격상되어 김정은 체제의 생존을 위협할 경우 북한은 체제붕괴의 위험을 감수하기보다 미국과의 강압적 협상을 유도하기 위해 군사적 무력도발을 감행할 가능성을 배제할 수 없습니다. 따라서 비핵화를 평화적으로 이룩하기 위해서는 '채찍'으로 비유되는 제재와 압박이, '당근'으로 비유되는 보상을 동시에 북한에 제시되어야 한다는 것을 의미합니다.

3

기존 한·미 양국이 추구해온
대북 비핵화정책의 실패원인

문재인 대통령이 6자 회담의 틀을 통해 북한의 비핵화를 평화적으로 이룩하고 남북한 간의 화해와 협력에 기조한 공동의 경제적 번영의 장을 열기 위한 합리적 대북 정책안을 제시하기 위해서는 먼저 한국과 오바마 행정부가 추구해온 대북 비핵화정책의 실패원인을 이해해야 합니다.

6자 회담의 틀을 통해서 북한의 비핵화를 달성하려면 5자 관여국들이 동조하고 성실히 이행할 공동의 대북 비핵화정책안의 수립이 선행되어야 합니다. 그러나 기존의 미국의 대북 비핵화정책이 실패할 수밖에 없었던 주요 원인은 5자 관여국들이 준수하고 동조할 공동의 대북 비핵화정책을 제시하지 못했기 때문입니다.

전 미국 외교협회 한국학 선임연구원이자 한미정책프로그램의 국장직을 맡고 있는 스콧 스나이더(Scott Snyder)는 '관여국들이 북한의 핵 개발 프로그램을 저지하기 위한 공동의 요구보다 자국들의 직접적 이해와 우려를 우선시했기 때문에 6자 회담의 틀이나 또 다른 어떤 지역적 노력을 통한 비핵화의 시도가 실패할 수밖에 없었다'고 지적했습니다.

따라서 5자 관여국들이 동조하고 준수할 수 있는 공동의 비핵화정책을 입안하기 위해서는 정책내용이 한반도에 내재하는 자국들의 전략적 이해와 국익에 부합해야 하다는 것을 의미합니다.

대북정책안에 반영해야할 중국의 전략적 이해와 우려

이와 관련하여 대북 정책안에 반영하고 구체화해야 할 한반도에 결부된 중국의 전략적 이해와 우려를 요약 · 제시해보겠습니다.

(1) 중국은 북한의 핵 및 장거리 미사일 개발 프로그램이 자국의 전략적 이해와 국익에 위배됨으로써 북한의 비핵화가 반드시 실현되어야 한다는데 관여국들과 의견을 같이합니다.

(2) 중국은 북한의 비핵화가 북한과 관여국들 간의 6자 회담 협상을 통해 평화적으로 타결되기를 원합니다. 다시 말하면, 중국은 북한 비핵화의 실현이 한반도의 평화와 안정을 훼손하는 것을 절대로 원치 않는다는 것을 의미합니다.

(3) 중국은 제재와 압박이 북한을 6자 회담장으로 유인하는 수단으로 사용되어야 한다는 입장을 견지해왔습니다. 바꿔 말하면, 중국은 제재와 압박이 북한 김정은 체제를 전복시키는 수단으로 이용되는 것에 반대한다는 입장을 견지해왔습니다.

(4) 중국은 북한이 미국과 동맹관계를 맺고 있는 남한과 중국 간의 완충지대 역할을 지속할 수 있기를 원합니다.

(5) 중국은 북한의 비핵화 수용이 한반도에 안전과 평화를 정착시키고 남북한 공동의 경제적 번영을 이룩하는 계기를 마련해 주기를 원합니다.

(6) 끝으로 중국은 북한 비핵화의 실현이 한반도에서 미국의 군사적 영향력의 확대로 발전하는 것을 원치 않습니다. 바꿔 말하면, 중국은 북한의 비핵화 수용이 한반도에서 미국의 군사적 영향력을 감소시키는 결과로 이어지기를 원합니다.

대북정책안에 반영해야할 러시아의 전략적 이해와 우려

다음은 세계에서 미국에 이어 막강한 군사력을 보유하고 북한에 연 20~30만 톤의 유류를 공급해온 러시아의 공조 없이는 북한의 비핵화를 평화적으로 달성할 수 없습니다. 그 이유는 러시아가 유엔 안보리를 통한 대북제재안을 부결시키고 북한의 유류수요의 부족량을 러시아가 대체할 수 있기 때문입니다. 한반도에 결부된 러시아의 전략적 이해와 우려는 중국과 거의 같습니다.

러시아는 북한의 핵무기 개발 프로그램의 폐기가 체제붕괴로 이어지는데 반대합니다. 러시아는 북한이 핵무기 프로그램을 폐기한 이후에도 핵 없는 국가로 상존하게 되기를 원할 뿐만 아니라 한반도에 안정과 평화를 정착시키고 남북한이 공동으로 동북아시아의 경제발전을 위한 견인차 역할을 하게 되기를 원합니다.

러시아도 중국과 마찬가지로 북한의 비핵화가 한반도에서 미국의 군사력 축소로 이어지기를 원합니다. 중국과 러시아의 공조를 확보하기 위해서는 이들 두 국가의 한반도에 내재하는 전략적 이해와 우려를 대북정책안에 반영하고 구체화해야 한다는 것을 의미합니다.

중국과 러시아의 전략적 이해와 우려를 감안해야 할 세 가지 변수

한반도에 결부된 중국과 러시아의 전략적 이해와 우려와 관련하여 대북정책안에 반드시 감안하고 구체화해야 할 변수들은 다음 세 가지로 분류됩니다.

(1) 북한이 비핵화를 수용하는 반대급부로 북한이 핵 없는 국가로 존속할 수 있는 객관적이고 진정성 있는 체제생존의 기회를 보장해야 합니다.

(2) 북한의 비핵화가 한반도에 안정과 평화를 정착시키고 남북한 공동의 경제적 번영을 이룩하는 계기가 되어야 합니다.

(3) 북한의 비핵화의 수용이 한반도에서 미국의 군사적 영향력 축소로 이어져야 합니다. 부연하면 북한의 비핵화가 완결되는 시점에 미군이 남한에서 철수한다는 공약(commitment)은 중국과 러시아의 공조를 유도하는데 긍정적으로 기여할 수 있습니다.

중국과 러시아의 한반도에 결부된 전략적 이해와 우려에 대한 분석으로부터 얻는 결론은 대북정책안 내에 북한이 비핵화를 수용하는 반대급부로 '김정은 체제의 생존을 위한 객관적이고 진정성 있는 기회'가 '제재와 압박'과 동시에 양자택일의 일환으로 제시되어야 한다는 것을 의미합니다.

4

김정은 정권의 생존을 위한
'진정성 있는 기회'의 부여와 그 의미

5자 관여국들이 공동으로 북한이 핵무기 프로그램의 개발을 폐기하는 조건으로 김정은 체제의 생존을 위한 객관적이고 진정성 있는 기회를 부여하기로 결정할 경우 반드시 제기되어야 할 의문이 있습니다. 그것은 체제생존을 위한 객관적이고 진정성 있는 기회가 무엇을 의미하며 쌍무간 어떤 조건들과 의무를 이행해야 하는지를 이해하고 파악하는 것입니다.

다시 말하면 어떤 조건들이 충족되는 여건 하에서 북한이 비핵화를 수용하더라도 이로 인하여 발생하는 불안정 요인들이 체제근간을 잠식해 체제붕괴로 연결되는 것을 막을 수 있는지를 이해해야 합니다. 또한 북한은 5자 관여국들이 제시한 조건들을 수용하기 위하여 어떤 의무를 이행해야 하는지를 명확하게 이해할 필요가 있습니다.

북한이 비핵화를 수용하고 핵 없는 국가로 체제생존을 담보할 수 있는 유일한 길은 5자 관여국들의 협조와 지원 하에 시장경제를 도입하여 동태적 · 지속적 경제성장을 이룩하는 이외에는 다른 대안이 없습니다.

시장경제의 도입은 시장지향적 개혁·개방을 전제로 한다는 것을 의미할 뿐만 아니라 국가 발전을 위한 패러다임의 변화를 의미합니다. 반드시 간과해서는 안 될 점은 북한이 시장지향적 개혁·개방을 단행하지 않는 한 화해와 우호에 기조한 남북한의 경제협력도 불가능할 뿐만 아니라 김정은 정권의 생존도 보장될 수 없습니다.

시장지향적 개혁·개방은 북한의 경제현대화를 위한 필수조건이지 충분조건은 아닙니다. 필수조건이 충족되기 위해서는 북한이 시장지향적 개혁·개방을 단행하여 경제현대화 과정에 소요되는 재원을 확보할 수 있어야 합니다.

또한 북한의 개혁·개방과정에서 발생하는 불안정 요인들을 역이용하여 남한이 일방적인 정치적 통합, 즉 흡수통일을 기도하지 않겠다는 보장이 마련되어야 합니다. 북한의 경제현대화를 위한 경제개발기금의 공여와 남북한 평화조약의 체결을 통한 북한체제의 보장을 위한 제도적 조치는 남한의 몫입니다.

5-1
북한의 핵무기 개발에
내재하는 의미

북한의 핵무기 개발은 가상적이든 실질적이든 미국의 북한에 대한 무력침공을 방지하기 위한 전쟁억지력을 위한 필수적인 수단이라고 인식하고 있습니다.

북한의 비핵화 수용은 핵 군사력으로 유지하고 견지해온 외적·군사적 위협에 대한 억지력을 상실하게 됨으로써 체제보장에 대한 문제에 직면하게 됩니다. 5자 관여국들은 체제보장을 위한 제도적 조치의 일환으로 북미 수교, 북일 수교 및 남북 평화조약 등을 제시할 수 있습니다.

여기서 지적해야 할 점은 북미 수교, 북일 수교 및 남북한 평화조약의 체결은 북한이 국제사회의 규범을 준수하는 의무를 성실히 이행하는 책임 있는 회원국가가 되었음을 상징합니다. 따라서 북한이 수교국들을 상대로 알력과 긴장을 조장하고 위협하는 적대적 행위를 행사할 수 없다는 것을 의미합니다.

이는 또한 북한의 김정은 체제가 지금까지 구사해온 '벼랑 끝(brinkmanship) 정책'을 통해 인민들의 결집을 다지고 통제해 온 통제수단을 상실하게 된다는 것을 의미합니다.

5-2
북한의 핵 포기를 위하여
해결할 두 가지 문제점

북한이 핵무기 프로그램의 개발을 포기하기 위해서는 두 가지 연관된 문제를 동시에 해결해야 하는 도전에 직면하게 됩니다.

병진노선의 포기

핵무기 프로그램의 폐기는 국가의 발전전략의 두 핵심 축을 이루는 핵으로 무장한 군사강국 건설과 경제부국 건설을 동시에 추진하는 병진노선의 포기를 의미합니다.

북한이 핵 군사강국 건설을 우선으로 하는 선군노선의 포기는 국가 발전전략의 핵심이 군사강국 건설에서 경제부국 건설로 선회할 수밖에 없다는 것을 의미합니다.

북한은 매년 국민 총생산액의 20~25%에 해당하는 70~75억 달러를 군사비에 할당해 왔습니다. 따라서 비핵화의 수용은 북한이 핵으로 무장한 '군사강국

건설'의 염원을 접어야 한다는 것을 의미합니다.

그뿐만 아니라, 북한이 비핵화를 수용하고 김정은 통치권자의 집권을 위한 정당성을 경제현대화에서 구할 경우, 북한은 군비축소를 단행하지 않을 수 없습니다.

왜냐하면 국민총생산액의 20~25%를 군비에 충당하는 이상 동태적 경제발전을 성취할 수 없을 뿐만 아니라 경제현대화도 달성할 수 없기 때문입니다.

비핵화 수용과 김정은 체제의 정당성 문제

북한은 핵으로 무장한 '핵군사강국건설'을 김일성, 김정일 그리고 김정은으로 이어지는 통치체제가 이룩한 가장 위대한 '치적'으로 부각시켜 왔습니다.

북한의 핵무기 개발을 통한 '핵군사강국건설'은 김정은 위원장이 북한의 최고통치자로 집권하는데 대한 정당성을 입증하는 근거로 받아들여집니다. 따라서 비핵화를 수용할 경우 김정은 위원장을 북한의 최고영도자로 옹립(enthroning)하는데 대한 통치자(ruler)로서의 정당성을 어떻게 확보하느냐 하는 문제에 봉착하게 됩니다. 이는 '핵강국건설'이 아닌 경제부국건설에서 찾을 수밖에 없다는 것을 의미합니다.

6

북한의 비핵화 수용과 평화체제 구축을 통한 남북한 공동의 경제적 번영을 위한 조건

어떤 여건과 조건하에서 북한의 비핵화가 실현되어야 기존의 남북한 간의 적대와 알력구도에서 탈피하여 화해와 협력을 통한 공동의 경제적 번영을 이룩할 수 있는지를 분석하고 이해해야 합니다.

간과해서는 안 될 점은 북한의 비핵화 실현이 곧 남북한 간의 우호와 협력을 통한 공동의 경제적 번영의 길을 열어주는 것은 아니라는 점입니다.

따라서 어떤 조건하에서 남한이 북한의 비핵화에 대한 보상으로 경제개발기금을 공여해야 북한의 동태적 · 지속적 경제발전에 긍정적으로 기여할 수 있을지를 분석해 봐야 합니다.

북한의 비핵화 실현이 남북한 간의 화해와 협력을 통한 공동의 경제적 번영의 장으로 연결되기 위해서는 북한의 경제발전을 위한 모델 즉 패러다임(paradigm)의 변화가 선행되어야 합니다.

부연하면 국가의 공식 지도이념인 주체사상이 변하지 않는 한 남북한 간의 우호적 협력관계가 조성될 수 없을 뿐만 아니라 경제현대화도 이룩할 수 없습니다. 그러면 왜 공식 지도이념이 변하지 않고는 남북한 간의 우호적 협력이 불가능하고 경제현대화도 이룩할 수 없는지 설명해드리겠습니다.

결론부터 말씀드리면, 북한의 공식 통치 지도이념인 주체사상이 국가발전의 패러다임(paradigm)으로 온존(intact)하는 한 어떠한 재정적 지원과 투자도 경제발전을 위한 견인차 역할을 수행할 수 없습니다. 북한의 공식 통치 지도이념이 그대로 있는 상황에서 외부의 경제적 지원만이 이루어질 경우 왜 경제현대화를 달성할 수 없는지를 설명하겠습니다.

북한에서 주체사상은 전통적 사회주의 이념을 창의적으로 발전시킨 '완벽한' 사상체계로 받아들여집니다. 주체사상의 본질을 다음에 요약해 보겠습니다. 먼저 전통적 사회주의체제의 본질을 이해하는 것부터 시작해야 합니다. 공산당이 정권을 잡게 되면 모든 생산수단이 국가소유로 전환되고 중앙집권적 통제계획이 실시됩니다. 국가가 모든 생산수단을 점유하고 물품생산과 분배를 담당하게 되면 사상교화·배급제도 및 형사처벌을 수반한 관료주의 통제기능이 가동하게 됩니다. 이렇게 해서 전체주의가 완성하게 됩니다.

북한은 이러한 사회주의체제에 주체사상이란 체계화된 이념을 접목시켰습니다. 주체사상의 핵심은 '모든 활동의 주체는 인민대중'입니다. 인민대중이 주체의 역할을 완수하기 위해서는 '위대한 수령의 영도를 필수'로 합니다. 수령의 명령에 절대복종하고 하나와 같이 움직이는 유일영도체계 그리고 '전체가 하나를 위해 하나가 전체를 위해' 움직이는 집단주의 가치관으로 요약됩니다. 이렇게 해서 북한식 전체주의가 탄생하게 됩니다. 북한의 전체주의 하에서는 인간이 중요하다고 생각하는 것뿐만 아니라 내면적 가치관을 포함한 사소한 모든 것을 통제받고 규제받게 된다는 것을 의미합니다.

7

북한의 경제발전을 위한 패러다임이
변화해야 하는 이유(예: 개성공단)

이와 같은 체제 하에서는 남북한 간의 상호 호혜성에 입각한 경제협력도 불가능 할 뿐만 아니라 개발기금의 공여가 경제현대화에 긍정적으로 기여할 수가 없습니다. 이를 개성공단의 예를 통해 설명하겠습니다.

남북한 간의 남북교류협력의 일환으로 2003년 이후 개성공업지구관리위원회가 개성공단에 1조 190억원을 투자한 것으로 집계됩니다.

당시 124개 입주기업들이 참여해왔습니다. 총 5만 6,320여 명 근로자들이 취업하고 있으며 각종 보험료를 가산하지 않은 실질 평균임금은 월 141.1달러로 집계됩니다.

⑴ 개성공단에 입주한 남한기업들이 필요로 하는 근로자의 고용은 개성공단에 진출한 기업들의 대표들로 구성된 협의회와 북한당국이 지정한 국가기관과의 협상을 통해 결정됩니다. 근로자의 수, 임금, 보험 및 토지 사용료 등이 이 협상 안에 포함됩니다. 합의한 임금 및 기타비용에 따라 총납입액을 북한당국에 납부합니다. 이를 수령한 당국은 전체임금의 일부를 북한 근로자

에게 내국환으로 지급합니다. 정확한 내역은 알려져 있지 않지만 근로자의 임금으로 당국이 수령한 액수 중 약 30%를 근로자에게 지불하는 것으로 알려지고 있습니다. 국가가 환수한 금액만큼 근로자들의 소비와 저축이 감소될 수밖에 없습니다. 따라서 지역경제발전의 기여도도 감소합니다.

(2) 남한의 입주기업들의 관리인들로부터 발생할 수 있는 사상적 오염을 방지하기 위해 개인접촉을 철저히 금지합니다. 북한 근로자들이 남한의 입주기업들을 방문하여 현지실습을 할 수 있는 기회를 허용하지 않음으로써 노동생산성 향상의 기회를 잃게 됩니다. 개성공단의 병영화가 이루어짐으로써 사유기업들이 오락시설, 주점, 음식점 및 관광사업을 운영하여 영리를 취득할 기회를 잃게 됩니다.

(3) 사유기업 및 남북한 합작기업 설립을 금지함으로써 남한 입주기업들과의 거래를 통해 기술 이전, 경영지식의 전수, 마케팅 네트워킹 지식 등을 전수받을 수 없을 뿐만 아니라 남한 입주기업을 대체할 경쟁업체를 배출할 수 없습니다.

(4) ⓐ 정부당국과 협의회 간에 관료주의적 협의과정을 거쳐 결정되기 때문에 외국투자를 유치하는 데는 한계가 있습니다.

　ⓑ 모든 노사 간의 문제점들이 진부한 관료주의적 협의를 통해 정치적으로 해결해야하는 부담을 안게 됩니다.

이와 같은 사항은 사상적 오염을 철저히 차단해야 하는 체제, 개인의 경제활동의 자유를 허용하지 않는 체제, 개인 및 합작기업을 금지하는 체제 그리고 소수의 안녕과 복지를 위해 다수가 희생되고 착취당하는 체제에서는 세계경제와의 통합을 목적으로 하는 개방도 이룰 수 없을뿐더러 경제현대화도 성취할 수 없다는 것을 의미합니다.

개성공단이 외국기업의 투자공업단지로 북한의 경제발전에 긍정적인 역할을 하기 위해서는 다음과 같은 조치들이 이행되어야 합니다.

- 자유노동시장의 도입과 고용·해고 및 임금이 시장원리에 따라 결정되어야 합니다.

- 외국투자를 위한 관련 법 제정 합작투자, 토지임대, 과실송금, 도산 및 매각에 대한 시장 원칙에 준하는 법 제정이 필요합니다.

- 경제활동과 출입국 등에 대한 자유를 보장하는 것이 필요합니다.

- 사유기업, 합작기업 및 향촌기업(지방정부와 사유기업의 합작)의 설립 허용 등이 포함되어야 합니다.

8
남북한 간의 상호 호혜적
경제협력을 불편해 하는 이유

객관적 대북 비핵화정책을 입안하기 위해서 반드시 고려해야 할 또 하나의 변수는 북한 통치체제의 특이성(idiosyncrasy)과 관련한 남북한 간의 상호 호혜적 경제협력에 대한 북한의 부정적인 반응입니다.

왜 북한이 화해와 우호에 기조한 남북한 간의 경제협력을 선호하지 않을 뿐만 아니라 '독이든 사과'로 받아들이는지를 이해할 필요가 있습니다.

남북한 간의 화해와 협력에 대한 부정적 태도를 이해하기 위해서는 1990년 이후 야기된 소련 및 동구권의 사회주의 국가의 몰락과 관련한 북한의 생존전략을 먼저 이해해야 합니다.

1990년 이후 소련 및 동구권 사회주의 국가가 예외 없이 모두 붕괴되는 상황 속에서 유독 북한만이 스탈린식 사회주의체제를 보존할 수 있었던 것은 북한 특유의 조직화된 통제기능을 동원하여 인민대중을 철저하게 통제하고 조정할 수 있었기 때문입니다.

북한은 인민대중의 통제와 조정을 위한 방법으로 내적수단과 외적수단으로 활용하고 있습니다. 내적수단으로는 관료주의 통제기능인 사상교화, 배급제도 및 형사처벌이 있고 외적수단으로는 적대적 외교정책을 들 수 있습니다.

북한은 가상의 적을 설정(setting up)하고 북한이 적들에 의해 포위되어 있다는 포위의식을 고조시키고 끊임없이 대결과 알력을 조장하는 극한정책(Brinkmanship)을 구사함으로써 체제결속을 유지할 수 있었습니다.

부연하면 관료주의 통제기능이 인민대중의 결속을 다지고 통제를 강화하기 위한 적대적 대외정책과 결합함으로써 체제 와해를 야기하는 것을 방지할 수 있었습니다. 비핵화의 수용에 따른 화해와 우호에 기조한 남북 간의 협력이 이루어질 경우 북한이 잉태한 모든 부조리와 모순을 만천하에 공개해야 하는 부담을 안게 됩니다.

화해와 친선에 의한 경제협력이 이루어질 경우 노출될 북한사회가 안고 있는 부조리와 모순에 대하여 몇 가지 예를 들어보겠습니다.

(1) 평양의 만수대에서 물놀이를 위한 1인 입장권의 가격이 보통 근로자의 5개월 임금을 합친 액수와 같고, 마식령 스키장 이용을 위한 하루 입장료가 보통 근로자의 4년 치 임금을 합친 것과 같은 이유

(2) 북한의 모든 상품거래의 50% 이상이 외화(달러, 위안, 유로)로 결제되며 국가의 제조업 부문이 붕괴되고 배급제도가 이완된 이유

(3) 헌법 조항에 모든 생산수단은 국가의 소유(전인민적소유)로 규정하고 있는 북한에서 인민들이 일상생활을 위해 필수적인 생필품의 수요를 비공식 경제 부문인 장마당에 의존하지 않고는 삶을 영위할 수 없는 이유

(4) 북한의 1인당 연 개인소득이 남한의 개인소득의 1/20도 되지 않으며 아시아에서 가장 부패하고 빈곤한 국가로 전락한 이유

(5) 어린이와 노인을 포함한 모든 남성 중 10% 이상이 현역으로 군에서 복무하고 국민총생산액의 20% 이상을 군사비에 할당해야 하는 이유

(6) 주체사상의 지침에 따라 구현된 '지상낙원'인 북한에서 탈북자가 속출하고 반당 및 반국가 위험활동분자들을 공개처형하지 않고는 체제가 유지되지 않는 이유

이와 같은 북한사회의 현실에 대한 이해는 시장지향적 체제개혁 없이는 경제 현대화도 이룩할 수 없을 뿐만 아니라 핵 없는 국가로의 생존도 담보할 수 없다는 것을 의미합니다.

9

북한의 핵 개발과 관련한
국제 영향력 이론의 차원에서 본
손익계산(calculation of cost & benefit)

국제 영향력 이론(The Pursuit of International Influence)은 비용과 편익의 계산(Cost&Benefit Calculation) 차원에서 한 국가가 어떻게 그 국가의 안보와 생존을 위해 최적의 조건을 선정하는지를 설명합니다.(James W. Davis. Jr. (2000), Threat & Promises, The Johns Hopkins University. p.4).

비용과 편익계산은 최적의 선택을 위해 정책결정자(decision maker)가 A를 선택함으로써 얻는 이익이 B를 선택함으로써 지불해야 하는 비용을 초과할 경우 A를 선택합니다. 따라서 안보의 목적이 보상과 위협의 수단을 적용함으로써 달성할 수 있다고 가정할 경우 결정적 과제는 주어진 보상과 위협 중 어떤 선택이 보다 유리하고 적정한지를 결정하는데 있습니다.

북한의 핵 개발 프로그램 개발에 수반하는 이익과 손실을 비용과 편익계산의 원칙에 적용하여 분석 검토해보겠습니다.

북한의 핵 프로그램을 폐기시킬 목적으로 관여국들이 공동으로 채택하여 발효시킨 제재와 위협으로 인하여 북한의 체제보위와 생존을 위해 부담해야 하는 비용이 감당하기 어려울 정도로 과다할 뿐만 아니라 불리하다고 인식이 되는 경우입니다. 그러한 경우 관여국들이 공동으로 북한 핵 포기를 전제로 한 긍정적 변화에 가치를 부여하고 평화적 공존에 대하여 경제적 보상과 체제보장을 약속한다면 핵 포기 결정이 북한체제 유지를 위한 최적의 선택이 됩니다.

관여국들이 북한이 핵 개발 프로그램을 지속 강행함으로써 치러야 하는 비용과 희생이 크면 클수록, 또한 핵을 포기함으로써 얻게 되는 보상이 비용을 상쇄하고 남는다면(advantage more than counter balance the disadvantage), 북한은 핵 포기를 수용할 가능성이 높아질 수밖에 없을 것입니다.

이 이론을 북한의 비핵화를 위한 패러다임으로 적용하기 위해서는 북한이 핵무기 개발을 고수할 경우 5자 관여국들이 공동으로 가동할 제재와 압박의 강도가 격상되어 체제와해를 모면할 수 없다는 인식을 갖게 해야 합니다. 반면 북한이 핵무기 프로그램을 폐기할 경우 이에 대한 반대급부로 5자 관여국들이 공동으로 제공하는 체재생존의 기회보장이 정책결정자로 하여금 체제보존에 보다 유리하다는 결론을 얻을 수 있어야 합니다.

부연하면 김정은 위원장이 핵무기 개발을 고수함으로써 5자 관여국들이 공동으로 가동할 제재와 압박으로 인해 체제 불안정 요인들이 체제와해를 발생시키는 위험을 감수하거나 아니면 핵을 포기하는 대가로 얻게 될 보상, 즉 체재생존의 진정성 있는 기회의 약속 중 양자택일을 하도록 강제하는 것을 의미합니다.

5자 관여국들과 북한 간의 비핵화를 위한 타결조건이 반드시 포괄적이고 일괄안이어야 하는 이유

북한의 비핵화를 6자 회담의 틀을 통해서 실현하려면 5자 관여국들이 공동으로 북한에 제시하게 될 타결조건(terms of agreement)이 반드시 포괄적(comprehensive)이고 일괄안(a package deal)이어야 합니다.

왜 북한과 5자 관여국들 간에 체결될 협약(agrement)이 포괄적이고 일괄안이어야 하는 이유를 설명드리겠습니다.

위에서 언급한 바와 같이 북한의 비핵화를 실현하기 위해서는 비용과 편익의 계산차원에서 김정은 위원장이 핵무기 개발을 고수함으로써 5자 관여국들이 동원할 제재와 압박으로 인하여 체제붕괴의 위험을 감수하거나 아니면 핵을 포기하는 대가로 체제생존의 진정성 있는 기회보장 중 양자택일을 하도록 강제해야 합니다.

북한의 비핵화를 실현하기 위한 수단으로 이 패러다임을 적용할 경우 5자 관여국들이 북한의 핵 포기를 유도하기 위해 가동하게 될 제재와 압박 그리고 보상이 그 내역과 역량면에서는 차이가 있지만 5자 관여국들이 모두 나누어 가지고 있습니다.

예를 들면 제재와 압박과 관련하여 미국은 세컨더리 보이콧(secondary boycott), 외교적 고립, 인권침해 및 첨단전략자산의 한반도 배치, 한미연합군사훈련 및 해상봉쇄와 선제공격을 수반한 군사적 위협 등을 대북압박의 수단으로 동원할 수 있습니다. 반면 중국은 대북경제제재를 통해 북한의 비핵화를 유도할 수 있는 수단을 보유하고 있습니다.

이것은 미국이 동원할 대북압박이 중국이 적용할 제재와 제휴할 때 비로소 소기의 효과를 발휘할 수 있다는 것을 의미합니다.

북한이 비핵화를 수용하는 대가로 북한에 제공하게 될 보상의 내역도 5자 관여국들이 나누어 가지고 있습니다. 예를 들면, 남한은 북한의 경제현대화를 지원하기 위한 경제개발기금의 공여, 평화조약 체결 및 1국가 2체제 원칙 고수(흡수통일을 기도하지 않겠다는 보장) 등을 제공할 수 있는 반면 미국은 북미수교 그리고 일본은 북일수교 및 전쟁배상의 지급 등을 비핵화의 수용에 대한 보상으로 공여할 수 있습니다.

북한의 비핵화의 수용이 한반도에 평화와 안정을 정착시키고 남북한 공동의 경제적 번영의 길을 열기 위해서는 협약문 내에 북한은 대량살상무기의 폐기, IAEA의 무제 한 사찰수용, 그리고 시장경제의 도입을 전제한 경제현대화 작업을 위한 공약 등이 포함되어야 합니다.

한편 5자 관여국들은 협약문 내에 모든 제재와 압박의 철회, 북미수교, 북일수교, 남북한 평화조약체결, 경제개발기금 공여 및 1국가 2체제 원칙 등이 포함되어야 합니다.

위에서의 분석이 시사하는 바와 같이 북한의 비핵화를 성공적으로 실현하고 평화와 안정에 기조한 북한의 경제적 번영을 이룩하기 위해서는 타결조건이 반드시 포괄적이고 일괄안이 되어야 하는 이유입니다.

북한과 5자 관여국들 간에 체결하게 될 협정문이 반드시 거래와 변형의 조건을 갖추어야 하는 이유

북한의 비핵화의 수용과 관련해 북한과 5자 관여국들 간에 체결될 협정문과 관련해 유의해야 할 또 하나의 조항이 있습니다. 북한의 비핵화를 위한 정책목표를 달성하기 위해서는 타결안의 내용이 반드시 거래(transacting)와 변형(transformation)의 조건을 모두 갖추고 있어야 한다는 점입니다.

북한의 핵무기 개발과 관련한 남한의 궁극적 정책목표는 북한의 비핵화가 반드시 남북한 간의 알력과 대결구도를 청산하고 화해와 협력을 통한 남북한 공동의 경제적 번영을 이룩하는데 있습니다. 그러나 북한체제의 기본성격에 대한 변형이 없이는 이 정책의 목표를 달성할 수 없습니다.

왜냐하면 남한이 아무리 많은 개발기금을 북한에 공여한다 하더라도 시장지향적 개혁 없이는 북한이 경제현대화를 이룩할 수 없기 때문입니다.

더 나아가서 북한이 동태적·지속적 경제성장을 통해 남북한 간의 경제적 소득격차를 줄여나가지 않는 한 남북한 간의 평화공존도 불가능할 뿐만 아니라 체제생존도 보장될 수 없습니다.

이와 같은 이해는 북한체제의 기본성격이 변화하지 않고는 북한의 핵 폐기와 체제 안전보장을 교환(trade)하는 것만으로 체제생존도 보장되지 않을 뿐만 아니라 한반도에 평화와 안정이 정착될 수 없습니다.

5자 관여국들과 북한 간의 협정문 기간이 10년 이상이어야 하는 이유

다음은 북한의 비핵화 수용과 관련한 북한과 5자 관여국들 간에 체결할 협정 기간입니다.

남한과 4자 관여국들의 배려와 지원 하에 북한이 시장지향적 개혁·개방을 단행해 경제현대화를 위한 작업에 나설 경우 북한이 동태적·지속적 경제성장을 위한 확고한 기반을 구축하는데 최소한 10년이 소요됩니다. 뿐만 아니라 IAEA의 핵 사찰 및 핵 폐기과정도 적지 않은 시간이 소요되기 때문에 북한과 5자 관여국들이 체결할 협정문의 유효기간을 최소한 10년 이상으로 정해야 합니다.

10

채찍과 당근간의 양자택일

김정은 위원장이 핵무기 개발을 고수함으로 5자 관여국들이
공동으로 적용할 제재와 압박으로 인한 정권교체의 위험을
감수하기 위하거나 아니면 핵을 포기하는 대가로 얻게 될 보상,
즉 체제생존을 위한 진정성 있는 기회의 보장 중 양자택일

북한의 비핵화 수용에 대한 대가와 보상으로 미국이 관여국들과 공동으로 제
공할 수 있는 타협안의 내용을 다음과 같이 제시합니다.

북한의 비핵화 수용과 진정성 있는 체제생존의 기회

(1) 유엔안보리가 채택한 대북제재와 관여국들이 독자적으로 채택한 모든 경제
　　적, 외교적 제재를 철회한다.

(2) 북한에 대한 전쟁억제력 향상을 목적으로 하는 한미연합군사훈련을 중지
　　한다.

(3) 북한에 대한 체제보장과 경제현대화 작업을 지원하기 위해 다음과 같은 조
　　치들을 취한다.
　　가. 현재의 정전협정을 남북평화조약으로 대체한다.

㉠ 남북한 군사비 삭감을 통해 저축된 재원을 북한 경제현대화에 활용한
　　　　다. 남한은 현재 GDP의 약 2.5%에 해당하는 340억 달러를 군사비에
　　　　할당하는 반면 북한은 GDP의 약 20~25%에 해당하는 70~75억 달러
　　　　를 군사비에 사용하는 것으로 추정되고 있다.
　　　㉡ 남한은 2체제 1국가 원칙을 존중하고 남한에 의한 일방적인 정치적
　　　　통합을 목적으로 하는 흡수통일을 기도하지 않는다.
　　나. 북미 수교를 체결한다.
　　다. 북일 수교를 체결하고 미결상태로 남아있는 북한에 대한 전쟁보상
　　　　(200~300억 달러)을 제공한다.
　　라. 북중 동맹과 북러 동맹을 재확인한다.

(4) 경제개발기금 지원

　　가. 남한은 북한의 시장지향적 개혁·개방을 지원하기 위한 일환으로 10년
　　　　동안 연간 300억 달러씩 총 3,000억 달러를 경제개발기금으로 제공한
　　　　다. 연간 지원하는 300억 달러 중 100억 달러는 인력 개발, 노동력 동원,
　　　　사회보장을 위해 현금으로 지급하고 200억 달러는 인프라 건설을 지원하
　　　　기 위해 바우처(voucher, 현금대용의 상환권)로 지급한다. 경제개발기금
　　　　의 상당 부분은 남한이 공여한다.
　　나. 북한이 국제금융기관으로부터 차관을 통해 추가 새원을 마련하도록 협조
　　　　한다.
　　다. 남한은 북한의 시장지향적 개혁·개방에 필요한 전문지식 등 모든 기술
　　　　을 지원한다.

(5) 비핵화 달성 시 미군철수

　미국은 북한의 비핵화(CVID, Complete, Verifiable, Irreversible,
Dismantlement)가 완료됨과 동시에 남한에서 미군이 보유하고 있는 모든 군사

무기를 철수한다.

북한의 핵 개발을 고수할 경우 5자 관여국들이 가동할 제재와 압박

북한이 미국과 관여국들이 제의한 비핵화타협안을 거부할 경우 미국과 관여국들은 김정은 정권의 교체를 모색하는 김정은 정권의 퇴출을 목적으로 북한에 대해 제재와 압박을 행사할 수 있습니다. 대북제재와 압박은 경제·정치적 압박과 군사적 압박으로 분류됩니다. 경제·정치적 제재의 내용에는 다음과 같은 조치들이 포함될 수 있습니다.

(1) 중국은 북한에 대한 유류공급을 전면중단한다. 또한 중국은 북한으로부터의 광물자원 수입을 중단한다.

(2) 북한의 해외 인력송출을 전면금지한다.

(3) 북한의 유엔 회원국 지위를 박탈한다.

(4) 각국에 주재하는 북한 대사관의 인원을 최소한으로 제한한다.

(5) 북한의 인권탄압을 유엔에서 공식적으로 규탄하는 의결을 가결한다.

(6) 북한과 거래하는 기업과 은행에 대한 세컨더리 보이콧(Secondary Boycott)을 발효한다.

군사적 압박으로는 북한의 대륙간 탄도미사일 시험 및 핵실험을 전면금지와 해상봉쇄 조치를 들 수 있습니다. 만약 북한이 핵실험과 장거리미사일 시험발사를 강행할 경우 미국은 시험 발사한 미사일을 격추하고 선제공격(preemptive strike) 혹은 예방공격(preventive strike)으로 북한의 핵 시설 및 통제지휘 본부를 파괴할 수 있습니다.

11

북한의 비핵화를 평화적으로 이룩하고 남북한 공동의 경제적 번영을 위하여 선행되어야 할 과제

지난 7월 6일 문재인 대통령이 쾨르버재단 연설에서 역설한 전략적 구상에 의거하여 북한의 비핵화를 평화적으로 실현하고 항구적 평화체제 정착에 기조한 남북한 공동의 경제적 번영을 이룩하기 위해서는 다음과 같은 과제가 반드시 선행되어야 합니다.

(1) ⓐ 대통령 직속 하에 국내외 북한전문가들로 구성된 전문위원회를 발족시켜 문재인 대통령이 역설하신 항구적 평화체제 정착을 위한 전략적 구상에 의거하여 5자 관여국들이 공조하고 이행할 객관적인 공동의 대북비핵화정책안을 마련해야 합니다.

대통령 산하 이 전문위원회의 설립과 운영의 주목적은 문재인 대통령과 4자 관여국 정상들과의 회담에 앞서 각국의 안보담당보좌관들과 우리가 제시한 대북비핵화정책안을 협의하고 조율하는데 있습니다.

ⓑ 대통령실 산하 국가안보실장의 주관으로 전문위원회를 동원하여 미·

중·러 및 일본의 안보분야에서 국가수반을 보좌하는 각국의 보좌관들과 개별적으로 회동하여 이 정책안이 5자 관여국들의 공동의 대북비핵화정책안으로 채택되도록 이해시켜야 합니다.

(2) 첫째, 문재인 대통령이 피력한 전략적 구상에 기조한 대북비핵화정책안을 관철시킬 수 있는가의 여부는 대통령이 이 문제해결을 위해 주무국인 미국의 트럼프 대통령과 중국의 시진핑 주석을 설득하여 그들의 공조와 협력을 동시에 확보할 수 있느냐에 달려있습니다.

트럼프 대통령과 시진핑 주석은 제가 제안한 '대북비핵화정책안'을 수용하리라고 확신합니다. 그 이유는 대북비핵화정책안이 중국의 한반도에 결부된 전략적 이해와 우려를 반영하고 구체화했기 때문입니다.

중국「사회과학원」산하「세계경제정치문제연구소」는 제가 작성한 대북비핵화정책안을 공식으로 중앙정부에 건의했다고 전해 들었습니다. 미국도 이 정책안을 수용하리라 판단됩니다.

둘째, 북한의 비핵화를 평화적으로 실현하고 평화체제구축 하에 남북한 공동의 경제적 번영을 이룩할 수 있는가 여부는 김정은 위원장이 이 정책안의 수용여부에 달려있습니다.

5자 관여국들이 김정은 위원장에게 핵을 포기하는 조건으로 체제보장 및 경제현대화를 통한 체제생존의 진정성 있는 기회의 부여와 핵무기 개발을 지속함으로써 직면하게 될 강도 높은 제재와 압박 중 양자택일을 하도록 제안할 경우, 김정은 위원장은 전자를 선택하게 될 것이 분명합니다.

김정은 위원장이 왜 5자 관여국들과의 합의 하에 핵개발을 포기하고 경제현대화를 통해 체제생존을 모색할 수밖에 없는지 그 이유를 말씀드리겠습니다.

김정은 위원장은 핵무기 개발을 놓고 5자 관여국들과 벌린 막판게임에서 북한이 승산이 없다는 것을 누구보다도 잘 인식하고 있습니다. 북한의 핵무기 개발이 진척되면 될수록 북한의 전략적 입지와 국력이 5자 관여국들에 비해 상대적으로 악화될 수밖에 없습니다.

북한의 장거리 미사일(ICBM)개발이 미국 본토를 강타할 수 있는 수준으로 향상된다 하더라도 북한은 미국에 핵 무력공격을 감행할 수 없습니다. 왜냐하면 미국에 대한 핵공격은 자살행위에 지나지 않기 때문입니다.

12

북한의 핵 개발과 관련하여 제기되는 두 가지 근본적인 문제점

북한은 핵무기 개발과 관련하여 두 가지 근본적인 문제를 안고 있습니다. 그것은 먼저 북한이 당면한 위기는 적대적 외세의 침공위협으로부터 야기된 것이 아니라 체제 내에 내재하는 내적 모순과 부조리로 인한 체제와해의 위협으로부터 비롯된 것입니다.

국가의 공식 경제 부문과 비공식 부문(장마당경제) 간의 소득의 양극화, 통치자금의 고갈로 인한 근로자들에 대한 착취의 심화, 인권 유린의 확산 및 부패의 만연, 공식적으로 허용되지 않은 정보의 확산, 관료주의 통제기능인 사상교화와 배급제도의 이완으로 인한 형사처벌의 강화 등 체제 불안정 요인들이 체제 근간을 잠식해 근본적인 체제개혁이 없이는 체제생존을 담보할 수 없게 되었습니다.

북한의 핵 개발로 인해 5자 관여국들이 가동한 제재와 압박은 북한의 통치체제에 내재하는 모순과 부조리를 보다 악화시켰을 뿐입니다.

또 다른 하나는 2012년 평양에서 김일성 출생 100주년을 기념하는 공개연설에서 김정은 위원장은 '더 이상 인민들이 배를 곯으며 허리띠를 졸라매는 일은 없도록 하겠다'는 인민들과의 약속입니다.

북한이 '핵군사강국건설'을 위한 선군노선을 견지하는 이상 김정은 위원장이 인민들에게 했던 약속을 이행할 수 없다는 것을 잘 알고 있습니다.

김정은 위원장은 '인민들이 배를 곯으며 허리띠를 졸라매야' 하는 '한'을 지니게 하는 지도자로 역사에 기록되는 것을 원치 않습니다.

이 글을 마치기 전, 북한의 비핵화 수용이 반드시 남한의 정치적 배려와 경제적 지원 하에 실현되어야 하는 이유를 강조하여 한 번 더 말씀드리겠습니다.

문재인 대통령의 주도하에 6자 회담의 틀을 통하여 북한의 비핵화를 평화적으로 달성하고 항구적 평화체제 구축을 통한 남북한 공동의 경제번영을 이룩할 수 있느냐의 여부는 어떻게 남한이 북한에게 핵을 포기하고 핵 없는 국가로 살아남을 수 있는 객관적인 생존전략을 제시할 수 있는가에 달려있습니다.

북한이 핵 없는 국가로 생존할 수 있는 핵심은 핵을 포기하고 시장경제를 도입해 경제현대화를 이룩할 수 있도록 남한이 정치적으로 배려하고 경제적으로 지원하는데 있습니다.

13

북한이 시장경제를 도입하여 경제현대화에 나서도록 남한이 정치·경제적으로 배려하고 지원해야 하는 이유

왜 남한이 북한으로 하여금 비핵화를 수용하는 반대급부로 시장경제를 도입하여 역동적이고 지속적 경제성장을 통해 체제생존을 모색할 수 있도록 정치적 배려와 경제적 지원을 해야 하는지를 설명하겠습니다.

(1) 북한의 핵 문제를 평화적으로 해결하는데 실패할 경우 미국은 군사적 수단을 동원하여 북한의 비핵화를 시도할 수밖에 없습니다. 이 시도는 한반도의 재앙으로 비화될 수밖에 없습니다.

(2) 북한이 핵을 포기하고 핵 없는 국가로 생존할 수 있는 진정성 있는 대안이 대북비핵화정책안에 구체화되지 않는 한 비핵화를 위해 필수적인 중국과 러시아의 공조를 얻어낼 수 없습니다.

(3) 북한의 비핵화 수용이 한반도에 영구적인 평화체제를 정착시키고 남북한 공동의 경제적 번영의 장을 열기 위해서는 남한의 정치적 배려와 경제적 지

원과 함께 북한이 시장경제를 도입해 경제현대화 작업에 나서도록 하는데 있습니다.

(4) 북한의 비핵화 실현은 남북한 간의 사활이 달린 공생(symbiotic)의 문제입니다. 대북제재와 압박으로 인해 김정은 통치체제가 돌발적이고 광포한 붕괴가 일어날 경우 한반도는 엄청난 파탄과 재앙의 소용돌이에 휘말리게 됩니다.

한편 북한이 남한의 정치적 배려와 경제적 지원 하에 비핵화를 수용하고 현대화에 착수할 경우 북한은 세계 역사상 가장 괄목할 동태적 경제발전을 이룩할 수 있습니다.

북한의 동태적 경제발전으로 인한 가장 큰 수혜국은 남한입니다. 남한은 경제적 저성장 늪에서 벗어나 북한과 공동으로 동북아시아의 경제발전을 이끄는 견인차 역할을 수행하게 됩니다.

14
끝맺는 말

끝으로 평화적인 수단에 의한 북한의 비핵화 실현은 한반도에 전략적 이해가 결부 된 미·중·러 및 일본 간의 지정학적 역학관계에 긍정적 영향을 미치게 됩니다.

반대로 북한의 비핵화가 평화적인 수단에 의해 해결될 수 없을 경우 미국이 선제공격을 수반한 군사적 수단을 동원하게 된다면, 이는 곧 한·미·일 진영과 북·중·러 진영 간의 무력분쟁으로 비화될 수 있습니다.

북한의 비핵화를 평화적으로 해결할 수 있는 열쇠는 오직 문재인 대통령에게 있는 이유가 여기에 있습니다.

영국이 배출한 세기의 역사학자로 알려진 아놀드 토인비(Arnold Toynbee, 1899~1961)의 저서인 「역사의 연구」에서 우리는 '어떤 국가가 조악한 환경과 적대적인 외세의 위협에 직면해 살아남아 번영을 이룩할 수 있었던 것은 그 국가의 구성원들이 추대한 탁월한 지도자의 지도 하에 단합하여 그들이 행한 집요하고 담대한 도전적 자세에서 결정된다'는 교훈을 배워 익히 알고 있습니다.

저는 문재인 대통령이 국민들을 설득하고 규합하여 북한의 비핵화를 평화적으로 이룩하고 영구적 평화체제 구축을 통한 '남북한 공동의 번영의 장'을 여는 위대한 지도자의 역량을 보유하고 있다고 확신합니다.

이 난제를 풀기 위해서는 문재인 대통령이 역설한 것과 같이 획기적이고 창의적인 전략적 구상과 용단이 필요합니다.

통상적인 지혜(conventional wisdom)만으로는 이 난제를 풀 수 없습니다. 이 문제를 풀 수 있는 유일한 길은 문재인 대통령이 남한의 경제적 지원과 4자 관여국들의 정치적 배려 하에 김정은 위원장이 핵을 포기하고 시장지향적 개혁·개방을 단행하여 경제현대화에 나섬으로써 세계 역사상 가장 괄목하고 역동적인 경제발전을 이룩할 수 있도록 유도하고 독려해야 합니다.

부록

북한, 비핵화와 시장지향적 개혁·개방을 통한
동태적 경제발전

A
북한의 비핵화를 위한 전략적 구상과 정책방안의 이론적 근거

1. 미국 오바마 행정부가 8년간 추구해온 대북 비핵화정책의 실패원인

비핵화를 위한 '당근과 채찍'을 동시에 제시하여 양자택일 하도록 해야 하는 이유

북한의 비핵화를 평화적으로 이룩하고 한반도에 평화와 안정에 기조한 남북한 공동의 경제번영을 위한 대북 비핵화정책을 입안하기 위해서는 먼저 오바마 행정부가 그의 집권기간 8년간 추구해온 대북 비핵화정책이 실패한 원인에 대한 이해가 있어야 한다. 미국의 대북 비핵화정책이 실패할 수밖에 없었던 원인을 크게 다음 세 가지로 분류하고 요약할 수 있다.

(1) 전 미국 외교협회 한국학 선임연구원이자 한미정책 프로그램의 국장직을 맡고 있는 스콧 스나이더(scott snyder)가 지적한 것처럼 관여국들이 핵 개

발 프로그램을 저지하기 위한 공동의 요구보다 자국의 이해와 우려를 우선시했기 때문에 실패할 수밖에 없었다. 다시 말하면 5자 관여국들이 북한의 비핵화를 위해 긍정적으로 참여하고 공조할 공동의 비핵화정책을 수립하고 제시하는데 실패했기 때문이다.

(2) 북한의 비핵화를 위한 접근방법에 대한 객관적 이해가 결여되었기 때문이다. 북한의 비핵화를 달성하기 위해 '채찍과 당근'으로 비유되는 '위협(threat)과 약속(promises)'간의 선택권을 제시할 경우 북한의 최고정책결정권자가 이익(benefit)을 최적화(optimization)하기 위해 어떻게 결정을 내리는지에 대한 국제 영향력 이론에 대한 이해가 부족하였기 때문이다. 미국은 또한 북한의 비핵화를 실현하기 위한 주방책(scheme)으로 대북제재와 압박을 통한 위협에 일방적으로 의존하는 전술적 오류를 범했다.

(3) 북한의 비핵화를 평화적으로 달성하지 못한 원인은 5자 관여국들이 북한이 비핵화를 수용하는 대가로 어떤 조건들을 제시하고 이를 충족시켜야만 북한이 핵 개발 프로그램을 폐기할 수 있는지에 대한 이해가 결여되었기 때문이다.

핵무기를 개발한 것도 북한이고 또 핵무기를 폐기해야 하는 주체도 북한이다. 따라서 북한이 비핵화를 달성하기 위해서는 북한이 핵무기 개발 프로그램을 시도하게 된 동기를 이해해야 할 뿐만 아니라 핵 개발 프로그램의 포기가 체제생존에 어떻게 영향을 미치는지를 분석해야 한다.

북한의 비핵화를 실현하기 위한 객관적이고 합리적 북한 비핵화정책을 수립하기 위해서는 먼저 위에서 언급한 오바마 행정부가 추진해 왔던 대북 비핵화정책에 내재하는 취약점과 결함(shortcoming)을 보완하고 개정(revise)하는 작업이 선행해야 한다. 위에서 지적한 기존의 대북 비핵화정책안 내에 내재하는 취약점과 결함을 어떻게 보완하고 개정해야 하는지를 다음에 분석하고 검토해본다.

5자 관여국들이 성실히 준수하고 이행할 공동의 대북정책안(shared policy toward DPRK)을 입안하기 위해서는 5자 관여국들이 한반도에 연관한 자국의 전략적 이해와 우려, 그리고 국익이 정책안에 반드시 반영되고 구체화되어야 한다. 공동의 대북 비핵화정책안 수립을 위해 정책안에 반영하고 구체화해야 할 한반도와 관련한 5자 관여국들의 전략적 이해와 국익을 검토하고 북한의 비핵화를 실현하기 위해 이들이 보유하고 동원할 수 있는 '당근과 채찍'의 수단과 능력을 다음에 점검해본다.

첫째, 북한의 비핵화와 관련해 미국은 세컨더리 보이콧(Secondary Boycott), 인권침해, 외교적 고립, 해상 봉쇄, 대북 전쟁억지력 강화를 목적으로 하는 한미공동군사훈련, 첨단군사무기의 한반도 주변 배치 그리고 선제공격이 북한의 핵을 저지하기 위한 수단으로 동원될 수 있다는 위협 등 다양한 수단과 막강한 능력을 보유하고 있다. 그럼에도 불구하고 미국이 북한의 핵 프로그램의 개발을 실질적으로 저지할 수 있는 평화적인 수단과 능력에는 한계가 있다. 북한에 실질적인 영향력과 공신력 있는 압박을 행사할 수 있는 국가는 5자 관여국들중 오직 중국뿐이다. 이것이 북한의 핵문제를 평화적으로 풀기 위해서는 중국의 확고한 공조가 필요한 이유다.

둘째, 공동의 비핵화정책안을 입안하기 위해 고려되고 구체화해야 할 한반도에 결부된 중국과 러시아의 전략적 이해와 국익을 분석해보자.

⑴ 중국과 러시아는 유엔 안보리에 의한 결의와 5자 관여국들이 독자적으로 동원할 수 있는 대북제재와 압박이 북한체제 붕괴수단으로 이용되는데 반대한다. 부연하면 중국과 러시아는 북한의 비핵화를 위한 정책목표가 북한체제의 붕괴의 결과를 통해 성취되는데 반대한다. 그뿐만 아니라 중국과 러시아는 북한이 비핵화를 수용한 이후에도 지금까지 담당해온 남한과 중국 및 러시아 간의 완충지대의 역할을 지속해주기를 원한다.

(2) 중국과 러시아는 유엔 안보리 결의에 의한 대북제재와 압박이 북한을 6자 회담의 장으로 유도하는 수단으로 국한되어야 한다는 입장을 견지한다. 더 나아가 북한의 비핵화가 6자 회담의 틀을 통해서 북한과 5자 관여국 간 협상을 통해 평화적으로 해결되어야 한다는 원칙을 고수한다. 이것은 대북제재와 압박이 북한의 비핵화를 성취하기 위한 수단으로 한계가 있을 뿐 아니라 대북제재와 압박만으로는 북한의 비핵화를 이룩할 수 없다는 것을 의미한다.

(3) 북한과 국경을 공유하고 있는 중국과 러시아는 북한의 비핵화 수용이 한반도에 평화와 안정을 도모할 뿐만 아니라 경제적 공동번영의 장을 마련하게 되기를 원한다.

(4) 북한의 비핵화 수용이 한반도에서 미국의 군사적 영향력 확대로 전개되는 데 반대한다. 다시 말하면 북한의 비핵화 수용이 한반도에서 미국의 정치적·군사적 영향력의 축소로 이어지기를 원한다.

북한의 비핵화를 달성하기 위해서는 채찍으로 비유되는 대북체재와 압박을 통한 위협이 북한이 비핵화를 수용하지 않고는 체제생존이 유지될 수 없을 정도로 확대되고 격상될 수 있어야 한다. 북한에 대북 경제제재를 통해 북한이 비핵화를 수용할 수밖에 없도록 제재의 수위와 강도를 격상시킬 수 있는 국가는 5자 관여국 중 오로지 중국뿐이다.

위에서 지적한 것처럼 중국은 북한에 연간 50만 톤씩 중유를 공급하고 북한의 총무역량 약 75억 달러 중 90% 이상을 차지한다. 중국이 북한에 공급해온 중유 공급을 중단하고 북·중 무역을 차단할 경우 북한의 경제는 단 일 년도 지탱할 수 없다. 이것은 중국의 실질적이고 확고한 공조 없이는 비핵화를 평화적으로 실현할 수 없다는 것을 의미한다. 대북제재와 압박과 관련한 러시아의 수단과 능력은 보완적이고 제한적이다.

러시아는 유엔 안보리의 회원국으로 대북제재의 표결에 참여해 찬성표를 던짐으로써 대북제재결의안을 채택시키고 러시아에서 취업해온 북한 노동자들을 러시아로부터 축출할 수 있다.

위에서 열거한 한반도에 관련한 중국과 러시아의 전략적 이해와 우려에 대한 분석의 추리(deduction)로부터 얻는 결론은 대북제재와 압박이 '당근'으로 비유되는 보상에 대한 약속과 동시에 제시되지 않는 한 비핵화를 성취하기 위한 수단으로 한계가 있음을 의미한다. 부연하면 대북제재와 압박을 통한 위협이 핵을 포기함으로써 얻게 될 보상에 대한 약속 즉 북한이 핵을 포기하고 핵 없는 국가로 생존할 수 있는 진정성 있는 기회의 보장이 양자택일(choose between two)의 일환으로 주어지지 않는 한 중국은 대북제재를 충실히 이행하지 않으리라는 것을 의미한다.

6자 회담의 큰 틀의 입장에서 볼 때 5자 관여국들이 공동으로 북한이 비핵화를 수용하는 반대급부(trade off)는 국제사회의 규범을 준수하고 자생력을 갖춘 신흥국가(a newly emerging nation)로 변신할 기회를 부여해야 한다는 것을 의미한다. 뒤에서 다시 상세히 기술하겠지만, 북한이 비핵화를 수용할 경우 미국을 위시한 5자 관여국들에 의한 체제안전보장만으로는 체제생존을 담보할 수 없다. 왜냐하면, 북한의 비핵화의 수용은 국가발전의 두 개의 핵심축인 핵 군사강국건설과 경제부국건설을 동시에 추진해온 병진노선의 포기를 의미하기 때문이다. 그뿐만 아니라 북한의 핵무기 개발 프로그램은 김정은 통치자의 집권을 합리화하고 정당화하는 정당성 문제와 직결되어 있다.

따라서 북한이 비핵화를 수용할 경우 핵 없는 국가로 생존할 수 있는 유일한 길은 동태적·지속적 경제발전을 통해 체제에 대한 정당성을 확보하는 일이다. 북한 비핵화의 수용이 체제붕괴로 치닫는 것을 막고 국제사회의 규범을 준수하고 동태적·지속적 경제성장을 통한 경제부국으로 도약을 통해 체제생존을 모색하기 위해서는 다음 세 가지 조건이 필수적으로 충족되고 선행되어야 한다.

첫째, 경제체제에 내재하는 모순과 결함을 제거하고 국제사회와의 경제적 통합을 위한 시장지향적 개혁·개방이 단행되어야 한다.

둘째, 시장지향적 개혁·개방 과정에 야기되는 불안정 요인들을 소성·통제하고 동태적·지속적 경제성장을 이룩하기 위해서는 경제현대화 과정에 필요한 재원을 확보할 수 있어야 한다. 북한이 시장지향적 개혁·개방을 단행하여 동태적·지속적 경제성장을 이룩할 수 있는 경제기반을 구축하는데 최소한 10년의 시간이 소요되고 3,000억 달러 규모의 경제개발기금이 필요한 것으로 추정된다. 이 기금을 제공할 수 있는 나라는 오직 남한뿐이다. 북한이 시장지향적 개혁·개방을 단행해 경제현대화 작업에 나설 경우 왜 남한이 경제개발기금을 공여해야 하는지 그 이유를 5가지로 요약하여 뒤에서 제시하고자 한다.

셋째, 북한이 시장지향적 개혁·개방과정에 야기되는 불안정 요인들을 역이용하여 남한이 일방적으로 정치적 통합 즉 흡수통일을 기도하지 않겠다는 공신력 있는 보장을 마련해주어야 한다.

2. 5자 관여국들이 공조할 공동의 비핵화정책안을 수립하기 위해 반영하고 구체화해야 할 한반도에 결부된 관여국들의 전략적 이해와 우려

북한의 비핵화 수용이 남북한 간의 적대관계를 청산하고 공동의 경제협력의 토대를 마련하기 위해서 국가의 지도이념이 변화되어야 하는 이유

5자 관여국들이 공조하고 성실히 준수할 공동의 비핵화정책을 입안하기 위해 한국과 미국이 공동으로 한반도에 결부된 관여국들의 전략적 이해와 우려를 구체화하고 반영해야 할 사항들을 다음에 제시한다.

(1) 북한의 비핵화가 6자 관여국들의 틀에서 협상을 통해 평화적으로 성취되어
야 한다. 바꿔 말하면 선제공격을 포함한 군사적 행동이 북한의 핵 개발 프
로그램을 저지하기 위한 수단으로 이용되어서는 안 된다.

(2) 중국과 러시아는 북한의 비핵화의 실현이 북한 통치체제의 붕괴라는 결과
로 연결되는데 반대한다. 중국과 러시아는 북한이 비핵화를 수용한 이후에
도 핵 없는 국가로 생존하면서 북한이 담당해온 미국과 동맹관계를 맺고 있
는 남한과 중·러 간의 완충지대의 역할을 지속해주기를 원한다. 이와 같은
한반도에 결부된 중국과 러시아의 전략적 이해와 우려는 대북제재와 압박
의 위협만으로는 북한의 비핵화를 달성하는데 한계가 있음을 의미한다. 또
한 중국과 러시아의 공조를 확보하기 위해서는 채찍으로 비유되는 대북제
재와 압박이 핵을 포기함으로써 얻게 될 당근으로 비유되는 보상 즉 핵 없
는 국가로 생존할 수 있는 진정성 있는 기회의 보장과 함께 양자택일할 수
있도록 북한에 제시되어야 한다는 것을 의미한다.결국 북한이 비핵화를 수
용할 경우 북한의 김정은 정권의 생존을 위한 진정성 있는 기회를 보장받는
유일한 길은 5자 관여국들의 정치·경제적 배려와 지원 하에 시장경제를
도입해 경제현대화를 이룩하는데 있다.

(3) 남한은 북한의 비핵화의 수용이 기존의 남북한 간의 알력과 적대관계를 청
산하고 남북한 간의 상호 화해와 협력을 통한 공동의 경제번영을 이룩하는
계기가 되기를 원한다. 바꿔 말하면 남북한 간의 알력과 적대관계가 청산되
지 않는 한 북한이 비핵화를 수용하더라도 한반도에 안정과 평화를 유지할
수 없다는 것을 의미한다. 남북한 간의 기존의 대결과 적대구도를 우호와
협력구도로 전환하고 남한의 정치적 배려와 경제적 지원을 통해 북한의 경
제화를 이룩하기 위해서는 북한이 반드시 먼저 이행하고 충족시켜야 할 조

건들이 있다.

가. 대내외정책(Foreign and domestic policy)의 기본성격을 규정하는 국가의 공식 지도이념이 변화하지 않는 한 남북한 간의 실질적인 화해와 협력이 불가능하다. 남북한 간의 관계가 상호신뢰와 협력을 위한 관계로 변화하기 위해서는 무산계급의 독재, 생산수단의 국가 소유, 관료주의 통제, 수령관과 유일영도체제, 집단주의 가치관 그리고 전체주의로 집약되는 국가의 공식 지도이념인 주체사상이 변화해야 한다.

나. 국가의 공식 통치이념이 변화하지 않고는 북한의 경제현대화를 위해 필수적인 시장지향적 개혁·개방을 단행할 수 없다. 기존의 국가발전을 위한 패러다임(paradigm)만으로는 동태적·지속적 경제성장을 통한 경제현대화를 이룩할 수 없다는 것을 의미한다. 1989년 서독의 콜 수상이 동독이 시장경제를 수용하는 전제조건으로 경제개발기금의 공여를 제의한 것도 같은 맥락에서 이해되어야 한다.

3. 북한의 비핵화 수용과 생존전략: 핵 없는 국가로 생존할 수 있는 전략적 계획 / 북한의 입장에서 본 비핵화가 체제생존에 미치는 영향

한국이 객관적이고 합리적인 대북 비핵화방안을 제시하기 위해서는 북한의 핵 프로그램 개발에 내재하는 의미에 대한 이해가 선행되어야 한다. 비핵화의 수용이 북한 김정은 체제의 안위와 생존에 어떻게 영향을 미칠 것인가?

● 북한이 비핵화를 수용할 경우 시장지향적 체제 개혁과 개방을 통한 경제현대화 없이는 김정은 정권의 생존이 보장되지 않는 이유는 무엇일까?

● 북한이 핵 개발 프로그램의 폐기를 수용할 경우 김정은 정권의 생존을 담보하기 위해서는 어떤 조건들이 제시되고 충족되어야 할까?

북한의 비핵화 수용과 김정은 정권의 생존전략과 관련해 제기되는 문제들을 제시하고 분석 검토해보자.

북한의 핵 개발 프로그램에 내재하는 주요 의도

북한의 핵 개발 프로그램을 착수(launch)하게 된 주요 의도 중 하나는 미국의 무력침공에 대한 억제력을 보유하는데 있다.

김정은 정권은 북한의 핵 개발 프로그램의 개발에 의한 핵 무력이 가상적이든 실제적이든 미국의 대북 무력침공의 기도를 억제함으로써 그의 통치권력 생존을 담보하는 유일한 수단이라고 믿고 있다. 북한 지도부는 핵 프로그램의 포기가 김정은 통치권력의 붕괴로 직결된다고 믿는 것과 일맥상통한다. 북한은 이라크, 리비아 및 동구권 사회주의 국가들이 붕괴하게 된 직접적인 원인은 이 국가들이 핵 무력을 주축으로 하고 군사·억제력을 보유하는데 실패했기 때문이라고 보고 있다. 따라서 북한이 비핵화를 수용하기 위해서는 북한체제보장의 일환으로 미국과의 수교가 반드시 포함되어야 한다.

여기서 반드시 지적해야 할 점은 5자 관여국들이 북한이 비핵화를 수용하는 조건으로 김정은 통치체제의 안전을 보장한다 하더라도 체제안전에 대한 보장만으로써는 북한이 비핵화를 수용할 수 없다. 그 이유는 북한에서 핵무기 개발은 김정은 정권의 집권을 합리화하고 정당화하는 정당성(justification)과 직결되어 있기 때문이다.

북한의 핵 개발 프로그램과 김정은 정권의 정통성(orthodoxy)

핵으로 무장한 군사강국 건설은 북한에서 김일성, 김정일 그리고 김정은으로 이어지는 김정은 통치체제의 정통성(orthodoxy)을 합리화할 수 있는 유일한 업적으로 간주된다. 2012년 4월 13일 개정한 북한의 헌법 서문에서 명시한 바와 같이 북한은 김정일 동지의 선군정치로 핵을 보유한 무적의 군사강국으로 변전시켰다고 주장한다.

이것은 북한의 핵 프로그램의 포기는 김정은 정권의 유일한 정당성의 상실로 이어질 뿐만 아니라 국가발전 전략의 두 축을 이루는 선군노선과 경제건설을 동시에 추진하는 병진노선의 포기를 의미한다.

따라서 북한이 핵 프로그램을 포기할 경우 김정은 정권의 정당성의 근거를 북한의 시장지향적 체제 개혁·개방을 통한 경제현대화에서 찾을 수밖에 없다. 여기서 지적해야 할 점은 북한이 비핵화를 수용하고 북한의 시장지향적 개혁·개방을 통한 경제현대화를 성공적으로 추진하기 위해서는 남한에 의한 북한체제의 보장과 경제현대화 과정에 소요되는 경제개발기금의 지원에 대한 약속이 이행되어야 한다.

북미와 남북간의 관계 정상화와 적대적 대외관계의 청산

북한은 핵 개발 프로그램을 포기하는 전제조건으로 김정은 정권의 생존을 위한 체제보장을 요구할 수 있다.

체제보장의 수단 중에는 북미수교와 남북평화조약이 포함될 수 있다. 그러나 간과해서 안 될 점은 북한이 지금까지 견지해온 남한과 미국에 대한 적대적이고 대결적인 대외정책이 종식되지 않고는 남북평화조약과 북미 수교가 체결될 수 없을 뿐만 아니라 그 의미가 상실될 수밖에 없다.

국가의 공식 지도이념이 계급투쟁을 통한 무산계급에 의한 사회주의 국가건
설을 목적으로 하는 한 적대적이고 대결적인 대외관계가 청산될 수 없다. 대외
정책(foreign policy)은 국내정책(domestic policy)의 연속이다. 따라서 적대적인
대외정책이 변화하기 위해서는 국내정책의 변화가 선행되어야 한다. 이것이 친
선과 협력을 위한 대외관계를 재정립하기 위해서는 먼저 국가의 공식 지도이념
이 변화해야 한다는 것을 의미한다.

국가 발전을 위한 새로운 패러다임(paradigm)

북한의 국가 건설을 지칭하고 관장하는 공식 지도이념인 주체사상은 국가 발
전을 위한 이론과 실체를 갖춘 패러다임(paradigm)으로써의 타당성(validity)을
상실했다.

주체사상이 국가의 공식 지도이념으로 군림하는 한 북한은 경제현대화를 이
룩할 수 없다. 경제현대화를 이룩하기 위해서는 세계경제와의 통합을 위한 개
방이 필수적으로 이행되어야 한다. 그러나 체제 내에 내재하고 결함과 모순을
치유하기 위한 체제개혁이 선행되지 않고는 세계경제와의 통합을 위한 개방이
성립될 수 없을 뿐만 아니라 개방에 주어진 소임을 이행할 수 없다.

여기서 반드시 지적해야 할 점은 소수의 선택된 특수계층의 권익을 보장하기
위해 다수의 인민이 착취되고 희생되는 체제 하에서는 경제현대화를 이룩할 수
없다. 이것은 김정은 위원장이 경제현대화 작업에 나서려면 유훈통치의 굴레
에서 벗어나야 할 뿐만 아니라 김정은 통치권력의 정통성을 주체사상 구현자의
모습이 아닌 인민들의 보다 나은 삶에 대한 염원을 이루어 줄 지도자의 모습에
서 찾아야 한다는 것을 의미한다.

북한의 생존 전략:
북한의 비핵화 수용과 체제 개혁·개방을 통한 경제현대화

혁신적인 체제개혁·개방이 없이는 어느 누구도 북한을 구제할 수 없다. 김정은이 통치하는 북한은 실패한 국가(failed state)다. 먼저 '실패한 국가'의 개념을 정리해보자. 현재 북한사회는 공식 지도이념인 주체사상의 지침에 따라 구현된 사회가 아닐뿐더러 이상적인 사회주의 지상낙원은 더욱 아니다. 공식 지도이념과 국가 사회현실 간에 치유할 수 없는 모순과 괴리가 날로 심화되어 체제 정당성을 훼손하고 체제근간을 잠식해 체제의 존립 자체를 위협한다.

북한의 경제는 완전히 마비되고 그 기능을 상실했다. 국가의 공식 부문(state sector)은 전력난, 원료공급의 부진 및 노후한 기계설비로 인해 와해됐다. 또한 장마당 경제로 비유되는 비공식 경제 부문과 국가 공식 부문 간 소득의 양극화가 심화됐다.

북한화폐 원화는 인민들 사이에서 시장거래와 저축수단으로써 제한적으로 통용된다. 이미 인민들은 자국화폐 대신 달러화, 유로화, 중국 위안화를 거래수단과 저축수단으로 대체하여 사용하고 있다. 국가 통제기능의 3대 핵심 중 사상교화와 배급제도가 이완됨으로써 무자비한 처형과 투옥이 통제기능을 대체하게 됐다. 그 결과 국가보위를 위해 무자비한 처형과 동원이 급증하게 됐다. 또한 국가 유통체계의 이완으로 국가통치자금이 고갈되고 있다. 국가가 통치자금의 조달을 충성기금의 헌납에 의존하게 됨으로써 충성기금 마련을 위한 뇌물과 비리로 인한 부패, 인권유린이 만연하게 됐다. 북한을 이탈하려는 탈북민이 급증하고 유통이 금지되어 정보가 인민들 간에 확산되고 있다.

위에서 기술한 바와 같이 소수의 기득권층의 복지를 위해 다수가 희생당하고 착취되는 체제는 경제현대화를 달성할 수도 없고 체제를 보존할 수도 없다.

역사상 지금까지, '폐쇄된 나라가 경제현대화를 달성한 예는 없다'는 덩샤오핑의 말을 상기할 필요가 있다. 그러나 개방만으로도 경제현대화를 이룩할 수는 없다. 세계경제와의 통합을 목적으로 하는 개방은 체제에 내재하는 모순과 부조리를 치유하기 위한 체제개혁이 동시에 이행되어야 한다는 것을 의미한다. 이것이 북한이 경제현대화를 이룩하려면 시장지향적 체제개혁·개방이 필수적인 이유다.

시장지향적 개혁·개방은 이를 위한 필수조건인 것이지 북한의 지속적 고도 경제성장을 통한 경제현대화의 충분조건은 아니다. 충분조건을 구비하기 위해서는 북한 김정은 정권이 경제현대화 과정에 소요되는 경제개발기금을 확보해야 한다. 부연하면 인프라 건설, 인력개발 및 사회보장제도에 소요되는 막대한 자금이 확보되지 않는 한 시장지향적 개혁·개방이 성공적으로 수행되기 어렵다는 것을 의미한다.

북한의 비핵화 수용을 위한 명분(justification)과 연평균 적정경제성장률 (optimum annual rate of economic growth)의 목표

북한이 비핵화를 수용하는 조건으로 시장지향적 개혁·개방을 통한 경제현대화 작업에 나설 경우 특정기간 동안에 북한이 경제성장과정에서 달성하고자 하는 연평균 경제성장률을 어떻게 설정하는가(establish) 하는 것은 체제안위와 생존에 관련된 사항으로 객관적 분석과 세심한 고려 하에 그 목표치를 결정해야 한다.

북한과 5자 관여국들과의 협정 유효기간 동안 북한이 달성하고자 하는 연평균 경제성장률의 목표는 ① 5자 관여국들로부터 공여받게 될 현대화 과정에 소요되는 경제개발기금의 규모, ② 비핵화 수용에 대한 공신력 있는(설득력 있는)

명분, ③ 국가의 공식 통치지도이념의 변혁(reform)에 대한 정당성, ④ 체제개혁·개방 과정에서 야기되는 체제 불안정 요인의 해소, 그리고 ⑤ 남북한 간의 소득격차의 완화(alleviation)와 직접적으로 연관되어 있을 뿐만 아니라 결정적 영향을 미친다.

필자의 분석과 추리에 의하면 5자 관여국들과의 합의 하에 북한이 시장지향적 개혁·개방을 통해 성취할 수 있는 적정 연평균 경제성장률과 유효 협정기간은 각각 10%와 10년으로 책정 제시했다. 5자 관여국들과 협정체결 이후 10년간 북한이 달성하게 될 연평균 경제성장률은 남한, 중국 및 카자흐스탄이 이들 국가들의 경제발전 과정에서 가장 괄목할만한 동태적 경제성장을 이룩한 기간 동안에 달성한 수치다.

북한이 체제 생존전략의 일환으로 경제현대화를 이룩하기 위해 비핵화를 수용할 경우 북한은 5자 관여국들로부터 유엔제제의 철회 및 체제보장에 대한 제도적 조치를 포함해 경제현대화를 위한 시장지향적 개혁·개발 과정에 필수적으로 소요되는 경제개발기금의 지원에 대한 합의를 성사시켜야 한다.

북한이 협정 체결 후 10년간 연평균 10퍼센트의 성장률을 성취하기 위해 5자 관여국들로부터 확보해야 할 경제개발기금의 총액은 최소한 3,000억 달러로 연 300억 달러로 추산된다. 경제현대화 과정에 필요한 추가재원은 국제금융기관으로부터 차관 및 외자도입으로 충당할 수 있다.

이 경제개발기금은 북한의 경제현대화를 이룩하기 위해 선행되어야 할 인프라 건설, 인력자원개발, 사회보장제도의 확립, 노동력 동원을 위한 임금, 및 전문기술 자문을 위한 경비로 사용된다.

위에서 지적한 5자 관여국들이 공여한 개발기금액의 규모와 관련한 북한의 비핵화 수용에 대한 객관적 명분 이외에도 경제성장의 속도와 폭을 좌우하는 연평균 경제성장률은 시장지향적 개혁·개방을 통해 달성하게 될 김정은 체제의 정당성, 국가의 공식 지도이념의 변혁, 체제안정 및 남북한 간의 소득격차의 완화에 결정적 영향을 미친다.

시장지향적 개혁·개방을 통한 체제생존 전략과 관련한 연평균 성장률 목표에 내재하는 의미를 다음에 분석해 보자.

(1) 핵으로 무장한 군사강국 건설은 김정은 통치권자가 이룬 유일한 치적(accomplishment)으로 김정은 통치체제의 정당성을 합리화하는 근거로 삼아왔다. 따라서 북한이 핵 개발 프로그램을 포기하기 위해서는 설득력 있는 명분이 필요하다. 이 명분(justification)을 병진노선의 한 축을 이루는 경제현대화에서 찾아야 한다. 경제현대화를 위한 동태적 지속적 경제성장률 목표와 이를 밑받침하고 지원하기 위한 5자 관여국들에 의한 경제개발기금의 출연약속은 핵 포기에 대한 설득력 있는 명분으로 작용할 수 있다.

(2) 북한의 경제현대화를 위해 필수적인 세계경제와의 통합(global economic integration)을 위한 시장지향적 개혁·개방은 국가의 공식 통치지도이념인 주체사상의 근본적 수정 없이 이루어질 수 없다. 이것은 비핵화를 수용하고 경제현대화 작업에 나설 경우 김정은 통치자가 안아야 할 부담인 동시에 극복해야 할 걸림돌이다. 북한에서 김정은 통치자의 정통성(legitimacy)은 김일성 주석이 창시하고 집대성한 공식 통치지도이념인 주체사상을 구현하는 수행자(executor)로서만 보장된다. 따라서 시장지향적 개혁·개방을 통한 경제현대화 작업은 김정은 통치자의 정당성이 주체사상의 집행자(executor)가 아닌 인민의 보다 나은 복지와 염원을 실현하는 지도자의 모습에서 찾아야 한다는 것을 의미한다.

(3) 북한이 비핵화를 수용하고 시장지향적 개혁·개방을 통해 경제현대화 작업

에 나설 경우, 개혁·개방 과정에 필수적으로 야기되는 체제 불안정 요인들을 어떻게 극복하고 해소해야 하는 과제에 직면하게 된다. 고도의 성장 속도와 폭을 수반한 동태적·지속적 경제성장은 체제개혁·개방으로 인해 야기되는 체제 불안정 요인들을 억제하고 해소하는데 도움이 된다. 부연하면 체제 동태적·지속적 경제성장은 개혁·개방 과정에 야기되는 불안정으로 인한 인민들의 이탈을 방지하고 선도적 역할을 담당한 당, 군 및 행정 관료들로 구성된 특수계층의 긍정적 참여와 지지를 끌어내는 것에 긍정적으로 기여한다.

(4) 끝으로 북한의 시장지향적 개혁·개방을 통한 동태적·지속적 경제성은 남북한 간의 소득격차를 줄이고 충돌과 대결을 청산하기 위한 필수적인 선행과제다. 2016년도 남북한간의 일인당 소득격차는 22배가 넘는 것으로 추산된다. 이와 같은 소득격차가 해소되지 않는 한 남북과의 대결과 충돌을 해소할 수 없을 뿐만 아니라 상호협력에 의한 공동의 경제번영의 장을 열 수 없다.

4-1. 한미 양국이 중국의 공조를 유도하기 위한 전략적 구상

미국이 6자 회담의 틀을 통해 북한의 비핵화를 이룩하려면 중국의 실질적 참여와 공조가 필수적으로 선행되어야 한다. 중국은 5자 관여국들 중 대북제재를 통해 북한에 실질적 영향력을 행사하고 핵 프로그램을 저지시킬 수 있는 유일한 국가다. 미국이 북한의 비핵화를 달성하기 위해 중국의 실질적 참여와 공조를 유도해 내기 위해서는 어떤 객관적 전략적 구성과 방안이 채택되고 제시되어야 할까?

미국은 중국의 실질적인 참여와 공조를 유도하기 위한 수단으로 다음 두 가지 구체적 조치들을 동원할 수 있다. 첫 번째, 미국은 중국이 참여하고 준수할 수 있는 공동의 대북 비핵화정책안을 제시함으로써 중국의 자발적 공조를 유도하는 것이고, 두 번째 조치로 미국이 중국에 대해 압박을 행사함으로써 타의에 의한 마지못한(reluctant) 공조를 얻어내는데 있다.

공동의 대북 비핵화정책안을 제시함으로서 자의에 의한 자발적 동조

미국의 대북 비핵화정책에 한반도에 대한 중국의 전략적 이해와 정책목표를 반영하고 구체화하기 위해서는 먼저 북한의 핵 개발과 관련한 중국의 한반도에 결부된 전략적 이해와 목표를 이해해야 한다. 다음과 같이 요약할 수 있다.

(1) 중국은 북한의 핵 및 장거리 미사일 프로그램이 자국의 전략적 이해와 국익에 위배될 뿐 아니라 더 나아가 북한의 비핵화가 반드시 실현되어야 한다는 데 관여국가들과 의견을 같이 한다.

(2) 중국의 한반도의 주요 정책목표는 평화와 안정을 유지하는데 있다. 북한이 핵 및 미사일(ICBM)개발을 지속하는 한 한반도에 평화와 안정이 정착되지 못할뿐더러 유지될 수 없다. 중국은 북한의 비핵화가 6자 회담의 틀을 통해 북한과 관여국가들 간의 협상을 통해 평화적으로 해결되기를 원한다.

(3) 중국은 여타 관여국가들과 같이 대북제재와 압박이 북한의 비핵화를 달성하는 수단으로 사용하는데 동의하지만 북한 김정은 통치체재붕괴의 목적으로 이용되는 데는 반대한다. 대북제재와 압박이 김정은 정권붕괴로 이어질 경우 북한 난민의 중국으로 유입은 물론이거니와 그로 인해 한반도에 야기될 불안정 요인과 파탄이 중국의 안보적 이해와 국익에 위배된다고 본다. 따라서 대북제재와 압박이 오로지 북한을 6자 회담의 장으로 유도하는 수단으로 국한되어야 한다는 입장을 견지해왔다.

(4) 중국은 비핵화를 수용한 이후에도 계속 북한이 주권국가로 존속되기를 원할 뿐만 아니라 북한이 담당해온 중국과 남한 간의 완충지대의 역할을 지속해주기를 원한다.

(5) 중국은 남북한이 공동의 경제적 번영을 통해 한반도 및 동북아시아의 괄목할 만한 동태적 경제발전을 이끄는 견인차의 역할을 담당해주기를 원한다.

(6) 끝으로 중국은 북한 비핵화의 실현이 한반도에서 미국의 군사력 영향력의 확대로 발전하는 것을 원치 않는다. 바꾸어 말하면 중국은 북한의 비핵화 실현과 동시에 한반도에서 미국의 군사적 영향력이 감퇴되기를 원한다.

한미 양국이 이와 같은 한반도에 대한 중국의 전략적 이해를 반영하기 위해서는 대북 비핵화정책의 핵심목표를 북한이 자생력을 갖춘 주권국가로서 생존할 수 있는 기회를 부여하는데 초점을 맞추어야 한다는 것을 의미한다. 이는 북한이 비핵화를 수용하고 그 대가로 경제현대화를 통한 진정성 있고 생존의 기회를 얻을 수 있어야 한다는 것을 뜻한다.

북한의 비핵화(CVID)가 이루어질 경우 미군은 남한의 미군을 주둔시킬 대외적 명분을 잃게 된다. 따라서 미국의 대북 비핵화정책안에는 중국의 공조를 얻기 위한 일환으로 북한의 비핵화가 실현되는 동시에 한반도로부터 미군철수가 포함되어야 한다.

타의(other's will) 에 의한 불가피한 동조

미국은 북한의 비핵화와 관련해 중국의 선의의 자발적 참여와 공조 이외에 타의에 의해 동조를 유도할 수 있는 압박수단을 보유하고 있다. 북한의 비핵화와 관련하여 미국이 중국의 가시적 동조를 유도하기 위해 동원할 수 있는 압박수단은 다음과 같이 요약할 수 있다.

(1) Ⓐ 미국은 중국이 표방하고 '추구해온 하나의 중국정책(one China Policy)'에 대한 지지와 협조를 철회할 수 있다. 미국은 북한의 비핵화와 관련하여 중국의 가시적 동조를 유도하기 위해 대중국 압박의 일환으로 대만과의 외교적 · 군사적 관계를 강화할 수 있다. Ⓑ 중국의 남단에 위치한 7개 섬들의 영토권에 대한 도전 Ⓒ 중국의 대미수출에 대한 규제

(2) 미국은 중국의 군사적 영향력 확대를 견제하는 간접적 수단으로 대북 전쟁 억제력을 강화하기 위한 제반 조치 등을 취할 수 있다. 대북 억제력 강화를 목적으로 하는 한미연합군사훈련 및 한국 · 미국 · 일본 연합군사훈련과 한반도에서 미사일 방어체계(missile defense shield) 강화, 한반도 주변에 미국의 첨단무기 배치(이들 첨단무기 중에는 스텔스 전투기를 포함한 핵 잠수함 및 핵 항공모함 등이 포함될 수 있다). 미국 · 일본 간의 군사유대를 강화하고 일본의 재무장을 지원할 수 있다.

(3) 미국은 북한과 중국 간의 무역 및 은행거래를 차단하기 위해 북한과 거래하는 은행과 기업에 대한 세컨더리 보이콧(secondary boycott)을 적용할 수 있다.

(4) 미국은 6자 회담의 틀을 통한 평화적인 협상에 의한 북한 비핵화의 실현이 실패할 경우 북한의 핵 및 미사일 개발 프로그램을 저지하기 위해 무력공격(선제공격(preemptive) 및 예방공격(preventive))을 감행하겠다는 의지를 천명할 수 있다.

위에서 지적한 바와 같이 미국이 6자 회담의 틀을 통해 북한의 비핵화를 이룩하려면 중국의 실질적 참여와 동조가 필수적이다. 미국은 북한의 비핵화와 관련하여 중국의 실질적인 참여와 동조를 촉구하기 위한 자발적 선의의 수단뿐

만 아니라 압박에 의한 불가피한 동조를 얻어낼 수 있는 모든 수단들이 동원되어야 한다.

4-2. 한국의 실실석 협력과 공소 없이는 미국이 북한의 비핵화를 이룩할 수 없는 이유

한미 간의 긴밀한 협력과 공조 없이는 북한의 비핵화를 달성할 수 없는 이유를 이해하기 위해서는 먼저 미국과 중국과의 공조만으로는 북한의 비핵화를 평화적으로 달성할 수 없는 이유부터 파악해야 한다. 그 이유는 미국과 중국이 동원할 수 있는 대북제재와 압박만으로는 북한이 비핵화를 수용할 수 없기 때문이다.

위에서 상세히 거론한 바와 같이 북한은 핵 개발 프로그램이 김정은 체제생존과 직결되어 있다고 믿고 있다. 따라서 미국과 중국이 동원하고 적용한 대북제재와 압박이 김정은 체제의 생존을 위협할 경우 북한은 체제붕괴의 위협을 감수하기보다 무력도발을 통해 강압적 협상을 모색할 가능성이 높다. 북한의 무력도발은 남북한 간의 군사적 대결로 이어질 뿐만 아니라 관여국가들을 끌어들여 한미일 진영과 중국·러시아 진영 간의 군사적 분쟁으로 파급될 가능성을 배제하지 않을 수 없다.

이것은 북한의 비핵화를 평화적으로 달성하기 위해서는 대북제재와 압박을 통한 위협이 북한이 비핵화를 수용하고 대가로 얻게 될 보상에 대한 약속과 함께 동시에 제시되어야 한다는 것을 의미한다. 북한은 비핵화의 수용이 김정은 체제붕괴로 직결된다고 믿고 있기 때문이다. 이는 또한 미국을 위시한 관여국들이 북한이 핵을 포기하고, 국제사회의 규범을 준수하여 자생력을 갖춘 국가로 전환하여야 생존할 수 있고 진정성 있는 기회를 부여해야 한다는 것을 뜻한다.

북한이 비핵화를 수용하고 체제수호에 나설 경우 북한은 시장지향적 체제 개혁·개방을 통한 경제현대화를 하지 않고는 체제생존을 담보할 수 없다. 한편 북한의 시장지향적 개혁·개방을 통한 현대화는 남한의 긴밀한 협력과 지원 없이는 이루어질 수 없을 뿐만 아니라 성공할 수도 없다. 이것은 미국이 '당근'으로 비유되는 실질적 보상 즉 시장지향적 개혁·개방과 경제화를 통한 체제생존의 기회를 제공하기 위해 남한의 공조가 절실히 요구되는 이유이다.

5. 북한의 경제현대화를 위한 지원 / 남한이 북한의 시장지향적 개혁을 통한 경제현대화를 지원해야 하는 5가지 이유

(1) 미국은 북한의 핵무기 개발 프로그램을 평화적으로 해결할 수 있는 전략적 구상과 합리적 대북정책안을 갖고 있지 않다. 미국의 핵심 정책수단인 선제공격이나 경제제재와 압박만으로는 북한의 비핵화를 실현할 수 없다. 선제공격 등 미국의 핵심 정책수단이 현실화될 경우 한반도에는 비극적 재난이 닥칠 수 있다. 이와 같은 재난을 피할 수 있는 길은 북한이 핵을 포기하는 조건하에 시장지향적 개혁·개방을 단행하여 경제현대화를 통해 체제생존을 모색할 수 있도록 경제현대화과정에 필요한 재원을 공여하는데 있다. 이 부담은 남한의 몫이다. 북한의 경제현대화가 중국의 재정적 지원과 정치적 배려로 이루어질 경우 북한은 영구적으로 중국에 의존하는 위성국가로 전락할 수 있다는 점을 잊어서는 안 된다.

(2) 1989년 가을 헬무트 콜 수상이 시장경제를 도입하는 조건으로 재정적 지원을 약속하고 정치적 통일을 시도하지 않겠다고 대내외에 천명한 것처럼 남한도 북한이 핵을 포기하고 시장경제를 도입하는 조건으로 북한을 재정적

으로 지원하고 흡수통일을 시도하지 않겠다는 의지를 대내외에 천명해야 한다. 여기서 반드시 지적해야 할 점은 북한정권의 붕괴가 곧 평화적 · 정치적 통합의 길을 열어주는 것은 아니라는 점이다. 김정은 정권의 돌발적인 붕괴는 한반도에 극심한 혼란과 재난을 불러오게 된다는 것을 잊어서는 안 된다.북한의 대다수의 인민들은 남한에 의한 흡수통일을 원치 않을 뿐만 아니라 시장경제 체제에 적응할 능력을 갖추고 있지 않다. 남한에 의한 일방적 흡수통일은 북한 인민들에게도 뼈아픈 시련과 좌절을 안겨주겠지만 남한에도 엄청난 고통을 준다. 만약 북한 통치체제의 붕괴로 인해 남한에 의한 정치 · 경제적 통합(흡수통일)이 이루어질 경우 북한의 개발비용은 북한이 자립적으로 시장경제를 도입해 경제현대화를 이룩하는 것보다 훨씬 높아진다. 그 이유는 동서독의 정치적 통합과정에서 체험한 것처럼 남한은 북한의 실업자, 환자 및 노인들을 위한 사회보장 프로그램(social entitlement program)에 보다 많은 재원을 할당해야 하기 때문이다.

(3) 북한이 시장지향적 개혁 · 개방을 추구할 경우 가장 큰 수혜국은 남한이다. 남한은 저성장의 늪에서 벗어나 다시 한 번 경제도약의 기회를 맞게 될 것이다. 남한이 북한에 제공하는 개발기금의 대부분은 남한의 기업들의 참여로 이루어지게 될 인프라 건설에 투입된다. 북한이 핵무기 개발을 포기하고 시장경제를 도입해 남한의 재정적 지원과 후원 하에 경제현대화에 나설 경우 북한은 남한, 중국 및 카자흐스탄이 도약기간 중 달성한 연평균 경제성장률을 능가하고 괄목할만한 동태적 경제성장을 달성할 수 있다는데 의심의 여지가 없다.

(4) 남북한 간의 소득격차가 줄어들지 않는 한 남북한 간의 갈등과 반목을 해소할 수 없다. 2016년 한국 통계청이 발표한 통계자료에 의하면 남한과 북한의 1인당 소득은 3,094만 원(약 28,000달러)와 139만 원(약 1,200달러)로 추정되었다. 이 숫자는 남북한 간의 개인당 소득의 격차가 22배에 달하

는 것을 의미한다. 또한 북한의 개인소득은 시장경제를 도입해 신흥경제국으로 부상한 기존 사회주의 국가들, 예컨대 베트남의 개인소득 2,111달러, 카자흐스탄 10,510달러 및 중국 8,070달러에 비해 현저히 낮은 수치다. 남북한 간의 소득 양극화가 해소되지 않는 한 화해와 협력을 위한 남북한 간의 평화공존이 성립될 수 없다.

⑸ 김정은 정권이 긍정적 변화를 통해 체제생존의 진정성 있는 기회를 부여받았음에도 불구하고 이를 거부할 경우 5자 관여국은 공동으로 김정은 정권의 교체를 모색할 수 있는 객관적 명분과 정당성을 확보하게 된다.

북한은 실패한 국가다. 북한의 정치·사회적 현실과 국가의 공식 통치이념간 화해(irreconcilable)할 수 없는 부조리와 모순이 존재한다는 의미다. 북한 사회가 잉태한 모순과 부조리는 핵무기 개발로 인한 외적 경제제재와 압박으로 인해 심화됐다. 북한이 직면한 위기는 외적 무력침공의 위협으로 야기된 것이 아니라 내적 모순과 부조리로 인한 내적 파멸(implosion)의 위협에서 비롯한다. 따라서 외적 경제제재와 압박이 모두 사라진다 해도 체제 내에 내재하는 모순과 부조리는 그대로 잔존하게 된다.

체제개혁을 통해 체제 내에 내재하는 고질적 결함을 개선하고 치유하지 않는 북한은 만성적 궁핍과 낙후에서 탈피할 수 없다. 이것은 북한이 한반도의 평화와 안정을 저해하는 동북아시아의 경제적 번영을 가로막는 걸림돌로 남게 된다는 것을 의미한다. 김정은 정권이 국제사회의 규범을 준수하지 않고 경제 신흥국으로 변신하기를 거부할 경우 중국은 김정은 정권의 교체를 위한 종군(campaign)에 앞장설 수밖에 없다. 스팀슨 센터의 선임 북한연구원의 다음과 같은 지적은 타당하다. '북한은 중국의 전략적 자산이었지만 정권은 중국의 전략적 부담(liability)이었다. 중국은 북한을 여전히 필요로 하지만 문제는 김정은 정권이다.'(Financial Times, 2017 April 27)

이와 같은 이해는 정권교체가 조선민주주의인민공화국의 주권의 붕괴를 목적으로 하지 않는 한 중국은 정권교체에 반대하지 않으리라는 것을 의미한다. 북한이 핵을 포기하는 긍정적 변화를 통해 체제생존을 모색할 수 있도록 모든 정치·경제적 지원과 협조를 보장했음에도 불구하고 김정은 정권이 이를 거부할 경우 남한은 5자 관여국과 공농으로 비핵화를 수용하고 시장경제를 도입해 경제현대화를 추진할 새로운 통치자(집단지도체제 포함) 부상을 위한 길을 적극 모색해야 한다.

6. 북한의 핵 개발과 관련한 국제 영향력 이론의 차원에서 본 손익계산(calculation of cost & benefit)

국제 영향력 이론(The Pursuit of International Influence)은 비용과 편익의 계산(Cost&Benefit Calculation) 차원에서 한 국가가 어떻게 그 국가의 안보와 생존을 위해 최적의 조건을 선정하는지를 설명한다. (James W. Davis, Jr. (2000), Threat & Promises, The Johns Hopkins University, p.4).

비용과 편익계산은 최적의 선택을 위해 정책결정자(decision maker)가 A를 선택함으로써 얻는 이익이 B를 선택함으로써 지불해야 하는 비용을 초과할 경우 A를 선택한다. 따라서 안보의 목적이 보상과 위협의 수단을 석용함으로써 달성할 수 있다고 가정할 경우 결정적 과제는 주어진 보상과 위협 중 어떤 선택이 보다 유리하고 적정한지를 결정하는데 있다. 북한의 핵 개발 프로그램 개발에 수반하는 이익과 손실을 비용과 편익계산의 원칙에 적용해 분석 검토해 보자.

북한의 핵 프로그램을 폐기시킬 목적으로 관여국들이 공동으로 채택하여 발효시킨 제재와 위협으로 인해 북한의 체제보위와 생존을 위해 부담해야 하는 비용이 감당하기 어려울 정도로 과다할 뿐만 아니라 불리하다고 인식될 수 있다. 그러한 경우 관여국들이 공동으로 북한 핵 포기를 전제로 한 긍정적 변화에 가치를 부여하고 평화적 공존에 대해 경제적 보상과 체제보장을 약속한다면 핵 포기 결정이 북한체제유지를 위한 최적의 선택이 된다.

관여국들이 북한이 핵 개발 프로그램을 지속 강행함으로써 치러야 하는 비용과 희생이 크면 클수록, 또한 핵을 포기함으로써 얻게 되는 보상이 비용을 상쇄하고 남는다면(advantage more than counter balance the disadvantage), 북한은 핵 포기를 수용할 가능성이 높아질 수밖에 없을 것이다.

「뉴욕타임스」가 2016년 5월 3일자 사설에서 지적한 것처럼, 제재가 중요하기는 하지만 제재만으로는 핵 위협을 완화하기에는 충분치 않다. 중국의 유엔대사 류 지이(Lie Jieyi)가 천명한 바와 같이 '제재는 그 자체가 목적이 아니다. 유엔 안보리만 가지고는 한반도의 핵 문제를 근본적으로 해결할 수 없다.'("Tougher Sanctions for North Korea", The New York Times, March 3, 2016)

그는 이어서 '오늘의 제재결의안이 새 출발점이 되어야 하고 한반도 핵 문제의 정치적 해결을 위한 주춧돌(paving stone)이 되어야 한다'고 주장했다.(The New York Times, 2016년 3월 3일). (주: 러시아 대사 비탈리 철킨도 '제재가 북한의 경제를 질식시키는 수단으로 사용되어서는 안 된다'고 경고했다.("The sanction not to be used to choke off the North Korean Economy" : The New York Times, March 3, 2016))

이와 같은 중국 대사의 주장은 미국 유엔대사 서맨사 파워의 진술과 일맥상통한다. '제재의 목표는 단순하다. 그것은 북한을 완전하고 검증가능한 비핵화에 대한 진정성 있고 신뢰할만한 외교적 협상을 위한 테이블로 돌아오게 하는 것이다.'(서울신문 단독 인터뷰, 2016년 3월 11일)

이와 같은 견해들은 제재의 수단만으로는 핵 문제를 근본적으로 해결할 수 없다고 지적한다. 경험이 부족하고 무모한 지도자 김정은 위원장을 코너로 몰아 매우 위험한 반응을 불러일으킬 수 있다고 경고한다.(The New York Times 사설, 2016년 3월 3일)

7. 북한의 핵무기 개발 프로그램을 저지하기 위한 전략적 수단으로서 선제공격이 갖는 의미와 한계

북한의 핵무기 개발을 저지하기 위한 전략적 수단과 관련하여 미국의 틸러슨 국무장관을 위시한 트럼프 행정부의 고위 각료들이 거론하는 선제공격(Preemptive strike)은 두 가지 의미를 갖는다.

하나는 선제공격을 포함한 군사적 행동이 북한의 핵무기 개발을 저지하기 위한 수단으로 고려되고 있음을 시사함으로써 북한이 비핵화를 전제로 하는 협상에 참여하도록 유도할 목적으로 사용하는 경우이고, 또 다른 하나는 북한의 핵 및 장거리 미사일 프로그램을 저지하기 위한 목적으로 실제적으로 선제공격을 감행하는 경우이다.

선제공격이 북한을 6자 회담장으로 유도하기 위한 압박책으로 사용하든 북한의 핵무기 프로그램 개발을 저지하기 위한 수단으로 사용하든 선제공격은 비핵화를 실현하기 위한 효율적인 대안이 될 수 없다.

왜 선제공격이 북한의 비핵화를 성취하기 위한 효율적 수단이 아니며, 실행으로 옮길 경우 남북한 모두에 막대한 인명피해와 재산피해를 가져오는지를 이해해야 할 필요가 있다.

군사전문가들 간에 선제공격(Preemptive strike)은 다음 세 가지를 의미한다.

(1) 북한이 미사일(핵탄두로 무장한) 공격태세를 갖춘 정황이 포착되었을 경우 발사능력을 제거하기 위해 발사대를 공격하거나 아니면 이미 발사한 미사일을 공중에서 타격하는 것을 뜻한다.

(2) 북한의 핵 및 미사일 프로그램의 개발을 포기하도록 압박을 가할 목적으로 핵 및 미사일 관련시설을 무력으로 공격하는 것을 의미한다. 핵 프로그램 및 군사통제체제를 교란시키기 위한 사이버 공격도 이에 포함될 수 있다.

(3) 북한의 김정은 통치체제를 완전히 분쇄하기 위한 전쟁의 시작 목적으로 미국이 먼저 북한의 군사력을 감퇴시키기 위해 북한에 대한 무력공격을 감행하는 것을 의미한다.

위에서 지적한 세 가지 의미 중 (3)을 제외한 한정된 공격은 북한의 핵 개발 프로그램을 잠시 지연시킬 수 있어도 완전하고 돌이킬 수 없는 검증가능한 CVID를 달성할 수 없다.

왜냐하면 장거리 미사일 발사체(ICBM projectile), 통제기구(control system) 및 핵 시설에 대한 선제공격만으로는 깊이 은닉된 무기체제 및 시설을 완전히 제거한다는 것은 실제적으로는 불가능하기 때문이다.

그뿐만 아니라 미국이 북한의 핵무기 프로그램의 개발을 지연시킬 목적으로 선제공격을 감행할 경우 북한은 막강한 무력보복으로 대응할 것이 틀림없다. 이와 같은 사태가 발생할 경우 선제공격은 남북한 간의 전면전쟁으로 비화될 수밖에 없다.

군사전문가들은 남한에 대한 북한의 무력보복이 감행되면 초전 한 시간 내에 130,000여 명의 사상자가 발생될 것으로 추정한다.(The Economist. The Land of Lousy Option, 2017/April 8-14) 이와 같은 분석은 선제공격이 북한의 비핵화를 달성하는 최후의 비상수단으로 고려되어야 함을 의미한다.

B

A Strategic Plan for the Success of Market−Oriented Reform and Opening of North Korea's Economy

By Chan Young Bang, Ph.D.
KIMEP University − Almaty

Abstract

The paper is based on the conference proceedings of "Nuclear Disarmament for Sustainable and Dynamic Economic Development in the Korean Peninsula: Prospects for a Peaceful Settlement" which was an international research conference held at KIMEP University in Almaty, Kazakhstan in October 2016. The conference featured distinguished academics and researchers from China, Russia, South Korea, the U.S. and the U.K. This paper articulates a "grand deal" in which the DPRK regime receives security guarantees and substantial financial support and in return embarks on a process of verifiable denuclearization and opening of its economy. The five parties, which so far have lacked a common and well-specified strategy, would offer as a carrot the normalization of relations and help in modernizing the DRPK's economy. The stick, in case the DPRK fails to denuclearize, would be a tightening of the sanctions and the accelerated threat of a military engagement.

1. The Six-Party Talks : A failed framework

The past 20 years of policy aimed at the denuclearization of the Democratic People's Republic of Korea has singularly failed, due to all actors involved. From the abandonment of the Agreed Framework in 2002 to Pyongyang's unilateral walkout from the Six-Party Talks in 2009, China, Russia, South Korea, the United States and Japan have all failed in achieving denuclearization because they lacked a cohesive and shared strategy with specific policy measures.

The Six-Party Talks lacked a clearly articulated position that outlined the specific consequences should the DPRK fail to denuclearize. A clear articulation of these consequences would have allowed the involved actors to know where their strategic interests stood in relation to each other.

No single actor assumed a leading role in integrating the diversified strategic interests on the Korean Peninsula. "Such talks and other regional efforts will fail because the involved states place their own immediate strategic interests and concerns above the collective need to halt the DPRK's nuclear program," writes Scott A. Snyder, Senior Fellow for Korea Studies and Director of the Program on US–Korea Policy at the Council of Foreign Relations.[1] The five parties possess sufficient means and resources to exert their will on the DPRK. The United States, the world's greatest military might, has the ability to exercise immense military pressure through deterrence. China, the DPRK's main trading partner, could cripple the DPRK's economy should it decide to actively enforce sanctions imposed against the DPRK. For example, experts calculate that if China ceased its oil trade with the DPRK (currently China annually provides 500,000 barrels of oil to the country), the DPRK's economy would collapse within a year.

2. An alternative scenario: State survival at all costs

The DPRK is a survivalist state that will, in the face of extreme pressure, always prioritize the continuation of its regime first. On its current path, the escalation of sanctions imposed by the international community will eventually become unbearable for the DPRK. These enormous costs will, sooner rather than later, force the DPRK into an extreme situation: Either accept regime collapse or seek an exit option, the former being entirely improbable. Thus the DPRK will choose armed provocation as a means of leveraging negotiations. This decision will be incalculably disastrous for all involved parties, particularly China and

---

1) Council of Foreign Relations Backgrounders, 2016.

South Korea, the DPRK's closest geographic neighbors.

If the DPRK continues its nuclear programs, the US, South Korea and Japan will in return bolster deterrence measures through joint military cooperation. Increased US military influence will severely infringe upon Chinese and Russian security interests in Northeast Asia.

This escalation of military deterrence will further advance the DPRK's countermeasures in the form of improvement of its nuclear programs, particularly in missile range. The DPRK's continued development of its nuclear missile range, which is becoming increasingly capable of successfully delivering a nuclear payload to the continental US, presents an imminent security threat to the US. Under this eventuality, the US will launch a preemptive strike which will lead to destruction of the DPRK's regime. In order to avoid such scenarios, the five stakeholder nations must find a peaceful solution that genuinely offers the DPRK a chance of survival.

3. Cost and benefit calculation with a renewed approach

The well-established theory advanced by James W. Davis's *Threats and promises: The pursuit of international influence* explains how a nation determines the optimum conditions for its security and survival through the calculation of cost (the threat) and benefit (the promise).[2]

---

2) Davis, J. W. (2000). *Threats and promises: The pursuit of international influence.* Johns Hopkins University Press. p.4.

In order to choose the promise rather than the threat scenario, the derived benefits of denuclearization of the DPRK (i.e. security guarantees, economic development and lifted sanctions) must outweigh the costs of giving up nuclear development (i.e. nuclear deterrence).

If the stakeholder nations ensure that the DPRK's costs of advancing its nuclear weapons — and the advantages of abandoning nuclear weapons — more than counter-balance the disadvantages, then the prospect that the DPRK will agree to abandon its nuclear weapons efforts will increase. In other words, the DPRK will be more likely to accept an agreement to discontinue its nuclear weapons development if the sanctions imposed against it (i.e. the stick wielded by stakeholder nations) become harsher and more severe, while promises of economic rewards and the preservation of the regime (i.e. the carrot) increase in quality as well.

Should the stakeholder nations attempt to denuclearize the DPRK through sanctions and threats alone, instead of through political negotiations, the DPRK will be forced into an extreme situation: risk the collapse of its regime or engage in armed provocation as a means to force negotiation. To better understand this calculation we first articulate the positions of China, South Korea, and most importantly, the DPRK.

4. China

China's ultimate policy objective is to achieve economic growth and prosperity in Northeast Asia. However, the DPRK's nuclear programs severely impede this goal.

The DPRK considers its neighbor as a renegade, an ideological inferior, and a hostile state that abandoned the core principles of Marxism. By sharing borders, China views the DPRK as a serious security threat because it is an unstable regime governed by an unpredictable ruler and armed with nuclear weapons. Yet Beijing serves as Pyongyang's long-standing ally and main trading partner, and it has exercised considerable influence in persuading the DPRK to approach the negotiating table.

For this reason, China is the only country capable of applying excruciating pressure through the form of economic sanctions on the DPRK if it so chooses. And while China possesses unique leverage over the DPRK it does not wish to see the state collapse.

The fall of the DPRK would complicate the delicate military balance in Northeast Asia. The United States currently houses 28,500 soldiers in South Korea and participates in joint military exercises with Japan. Beijing is extremely concerned that the persistence of the DPRK's nuclear armament will induce stronger military cooperation between the US, South Korea and Japan; it should be avoided at all costs. The DPRK also serves as a strategic buffer and check against US interests and influence on the Korean Peninsula. Should the DPRK's current regime collapse, its absorption into South Korea would bolster US military influence and alter the geopolitical dynamics of the Korean Peninsula.

5. South Korea

South Korea is the only actor that can incorporate the diversified security interests of the involved parties in specific and viable policy measures.

For Seoul, the issue of the DPRK is a matter of survival — a life-and-death issue that extends beyond a military and political threat. Frozen in an unresolved conflict with the DPRK, Seoul's ultimate goal is the denuclearization and peaceful reunification of the Korean peninsula.

However, South Korea should not seek political integration but rather economic union through economic integration. China and Russia would never support the political integration of the DPRK (absorption reunification under the complete authority of South Korea), as it would invariably strengthen US influence in the region. South Korea's objective thus should be economic integration, which would produce a two-state solution that permeates economic cooperation and growth between the two Koreas. This scenario has a historical reference in the example of West and East Germany whereby West Germany provided economic support to its eastern counterpart. For such economic assistance to be successful, West Germany stipulated that East Germany introduce market-oriented reform to strengthen its inefficient economy. In the same vein, economic integration of the DPRK must be predicated on its ability to faithfully implement market reform. Such an objective is aligned with South Korea's interest in providing economic assistance to its northern neighbor as a means to mitigate the potential cost of reunification.

6. The DPRK

It is crucial to understand the underlying motivations of the DPRK and why it believes that accepting denuclearization will inevitably lead to the destruction of its regime. Put differently, why does the DPRK believe that its nuclear development program is the only means to guarantee the survival of Kim Jong Un's regime?

Firstly, the DPRK's nuclear weapons provide a measure of deterrence against real and imagined foreign threats, particularly from the US. Secondly, the political legitimacy of the Kim Jung Un regime is intrinsically linked to the regime's nuclear development program. The possession of nuclear weapons symbolizes the strength of the country as one of the few nations to possess such capabilities. Lastly, the economic malaise that plagues the country can be justified with the immense expenditures and resources that the military consumes to ensure the protection of its citizens. The regime has employed nuclear weapons to instill a sense of crisis among the people, as a means to remind them of hostile forces threatening to invade the country, and thus compelling them to patiently accept an endless series of sacrifices.

If the DPRK accepts denuclearization, it must be offered reliable security guarantees that can replace its deterrence measures (i.e. nuclear arms), such as normalization of diplomatic relations with the US and Japan. However, security guarantees are insufficient to replace the legitimacy of Kim Jung Un's regime. The DPRK must seek economic modernization in exchange for nuclear deterrence, which will provide legitimacy to the regime by paving a tangible pathway toward economic prosperity.

Should the DPRK decide to exchange its nuclear programs for economic modernization, then it must implement market-oriented reform. In this pursuit, South Korea is the only viable actor that can ensure and guarantee the survival of the DPRK through security assurances and economic support. If the DPRK accepts denuclearization, South Korea would be willing to financially assist its northern counterpart through infrastructure investment and the transfer of expertise.

7. Introduction of market-oriented reform

Financial support and security guarantees are important but insufficient conditions for achieving economic modernization of the DPRK. The DPRK's national economy is enormously inefficient and dysfunctional. Without the implementation of market-oriented reform, financial aid and economic development will be squandered since the DPRK possesses neither the essential experience nor the expertise to modernize its economy. Successful economic modernization — the transformation of a bureaucratic, socialist economy into a dynamic market-oriented economy under Deng Xiaoping — can serve as an exemplary model.

Yet the question remains: Is there any way to prevent a decision to accept denuclearization without inducing regime collapse? What conditions must be satisfied before the DPRK can safely accept denuclearization without the negative factors arising from this decision leading to the disintegration of its regime? The most critical conditions follow:

7.1 Allocation of Economic Development funds

A reasonable level of economic rewards must be provided, sufficient to allow the DPRK to successfully carry out market-oriented reform and to open its economy without inducing regime collapse. According to my estimates, the successful reform and opening of North Korea will require and economic development fund of $300bn over ten years. The purpose of the economic development fund is as follows:

1. Of the 30 billion dollars provided each year, $20bn should be used to fund the construction of infrastructure by South Korean companies.

2. The remaining 10 billion dollars should be used to pay for the mobilization and employment of 1 million laborers, who will work at the construction sites of this infrastructure. Paying $1,000 a year to each worker will cost a total of $2bn, which will in turn generate $10bn dollars in additional income when considering the multiplier effect stimulated by $2bn in wages.

3. The fund should be used to establish and implement a system of social security policies, which will be necessary to ensure the

welfare of people losing their jobs due to the privatization of state corporations, and to fund pension payments for the retired and provide welfare for low-income people.

4. A budget of approximately $400mn dollars should be allocated to support at least 10,000 people to study abroad at Western-style universities. The human resources nurtured in this manner will lead North Korea's economic modernization.

5. The fund should also be used to provide financial support for farming, through which agricultural production can be improved and eventually allow North Korea to produce enough food for its people.

7.2 Abandoning all sanctions

All sanctions against the DPRK, either jointly adopted and put into effect by the UN Security Council, or independently implemented by the five stakeholder nations, must be withdrawn. Additionally, security guarantees must be provided.

7.3 Normalization of relations between the DPRK, South Korea and the US

A peace treaty must be established between South Korea and the DPRK, the DPRK's relations with the US and Japan must be normalized, and its treaties with China and Russia must be confirmed.

If the security guarantees and economic rewards that the DPRK will receive from the five stakeholder nations in exchange for its denuclearization are to generate sustained economic growth, an objective and effective plan to realize economic development through market-oriented reform and opening must be established.

There is an inseparable relationship between the reform of a socialist economic system and its opening: Opening alone, i.e. opening that is not accompanied by market-oriented reform of the economic system, cannot perform its role and mission toward economic modernization. But opening is essential if market-oriented system reform is to be successfully implemented. To rephrase this, reform cannot take place in a reasonable manner without opening.

Any reform of the socialist economic system must place the privatization of state-owned production means at its core. In regard to the privatization of North Korean state corporations, there are two points that must be kept in mind:

Currently more than 50 percent of North Korea's gross national product (GNP) is accounted for by activities in the unofficial economic sector. These private corporations span a wide spectrum of business activities, from restaurants and street kiosks to bicycle repair shops and transportation companies. The emergence of these private corporations is not the result of intentional privatization of state corporations by the state, carried out in accordance with reform policies toward a market-oriented economic system, but rather the result of desperate measures taken by the government to fill the vacuum created after the shutdown of state-owned corporations by allowing such activities to take place in the private sector. Today the continuous expansion of the unofficial economic sector — represented by the emergence of 400 black markets and the rise of money lenders as the new millionaires — acts as a grave source of instability gnawing away at the foundations of the North Korean regime.

Privatization of state -owned production means a critical impact on the ruling ideology. What this means for North Korea is that its economic system cannot be reformed without fundamentally revising the ruling ideology of its socialist system, Juche ideology. A market oriented system reform also has a critical effect on the essence and attributes of the Communist party and it has an impact on bureaucratic controlling mechanisms as well. As pointed out by Kornai[3], the autonomy enjoyed by private corporations conflicts with and cannot coexist with totalitarianism. In the words of Deng Xiaopeng, "economic reform cannot take place without political reform".[4]

For successful economic reform, a number of internal and external

---

3) Kornai, Janos. 1992. The Socialist System: The Political Economy of Communism. Princeton University Press.

4) Yangian, Zhang. 1999. China's Incremental Political Reform, in: Wang, Gungwu and John Wong (eds), China: Two Decades of Reform. Lessons and Experiences. Singapore University Press: 13-40p.

conditions need to be satisfied:

Provision of external funding and normalization of relations with its neighbors and the international community; abandoning the "military first" policy, stipulated in the DPRK constitution; establishment of an expert committee; operation of special economic zones; promotion of the agricultural industry; active participation by core party and military officials, social security policies and the development of human resources.

8. Peace and prosperity on the Korean Peninsula

In approaching a peaceful settlement of the DPRK, the objective shifts from denuclearization to economic modernization, which reconciles the strategic interests of the stakeholders. The five involved parties must genuinely offer the DPRK an alternative path with benefits outweighing the costs that the DPRK incurs by giving up its nuclear programs. An economically viable and politically normalized DPRK will immensely benefit all parties involved, particularly South Korea and China.

For South Korea, a decision by the DPRK to accept denuclearization and engage in economic reform will prevent armed confrontation from breaking out between the two Koreas. It will also open the path to reconciliation and cooperation. Resolving the DPRK's nuclear issue through an agreement process will serve as an opportunity for South Korea and the DPRK to bring the Korean people together in a relationship of mutual cooperation and growth. The financial burden of the development program, $30bn annually, is less than the annual military budget for South Korea. The total fund required for the implementation of reform and opening of North Korea's economic system is less than even the minimum estimate of unification costs calculated in a joint study by the National Unification Ministry and Korea University.

Secondly, the main share of economic rewards that the DPRK will receive in exchange for this decision will have to be provided by South Korea. This means that South Korean corporations, using the development funds contributed by South Korea, will play a leading role in constructing the infrastructure of the DPRK.

For China, denuclearization and economic modernization of the DPRK will neutralize the potential military threat posed by the nuclear weapons of its unreliable neighbor. Further, should peace and prosperity finally arrive to the Korean Peninsula, the US will lose the justification to maintain its military presence in South Korea.

Russia will benefit from neutralization of nuclear armament, economic synergy with an increasingly productive DPRK economy, and from reduced US military presence on the Peninsula. The denuclearization of the DPRK will benefit both the US and Japan as well, as they will be freed from the nuclear threat.

With the conditions articulated, and with the stakeholders working toward a cohesive and shared policy framework, the DPRK will have a choice: Accept denuclearization and economic modernization or continue belligerency and suffer state collapse. One will pave the way for peace and prosperity in Northeast Asia. The other will usher in years of instability and geopolitical turmoil.

방 찬 영

경제학 박사
키멥대학교 설립자 겸 총장
카자흐스탄 대통령 나자르바예프 전 경제고문
경제전문위원회 부위원장

연세대학교 역사학 · 정치외교학 학사 / 연세대학교 경제학 석사
미국 네바다 주립대학교 경제학 석사
미국 콜로라도 주립대학교 경제학 박사
미국 UCLA 교수 · 샌프란시스코대학 경제학과장 겸 아시아문제연구소 소장
카자흐스탄 경제 · 경영대학원 창립 및 초대 원장 (1992~1994년)
카자흐스탄공화국의 경제개혁에 기여한 공로로 대통령이 수여하는 최고훈장인
　도스틱(Dostyk) 훈장 수훈(1994년)

[학술연구행사 개최]

• '한반도의 핵군축: 정착지에 대한 전망' 국제학술세미나,
　키멥대학교 아시아문제연구소, 2016. 10

[저서]

- 『북한의 비핵화를 위한 전략적 구상과 정책방안』, 2017.
- 『김정은 위원장의 위대한 도전』, 2017.
- 『북한의 비핵화와 시장지향적 개혁·개방을 통한 동태적, 지속적 경제발전』, 2017.
- 『북조선의 대외 개방·개혁정책과 합리적 대북정책의 모색』, 1996.
- 『기로에 선 조선민주인민공화국』, 1965.
- 기타 다수의 논문 발표

저자 소개

1990년

소련 엘친 대통령과 카자흐스탄
나자르바예프 대통령과의 정상
회담을 마치고 필자아 함께

1991년

고르바쵸프 소련 대통령과 필자를 위해
마련한 만찬 기념사진

1992년

미국 조지 W 부시 대통령과
카자흐스탄 나자르바예프
대통령과 필자

1994년

카자흐스탄 국가로부터 '도시틱' 훈장
(외국인에게 주는 최고훈장)을
나자르바예프 대통령으로 부터 받는 필자

2000년

카자흐스탄 나자르바예프 대통령이
필자 내외를 위해 마련한
만찬 기념사진

2010년

키멥대학교 Academic빌딩
개관식 나자르바예프 대통령과
필자와 함께 기념사진

2012년

키멥대학교 학위수여식에서
졸업생과 필자

북한, 비핵화와 시장지향적 개혁·개방을 통한 동태적 경제발전

어떻게 하면 문재인 대통령이 북한의 비핵화를
평화적으로 달성하고 남북한 공동의 동태적 경제발전을
이룩할 수 있을까?

발 행 일	2017. 09. 10
저 자	방 찬 영 (키멥대학교 총장)
발 행 인	박 승 합
발 행 처	노드미디어
등 록	제 106-99-21699 (1998년 1월 21일)
주 소	서울특별시 용산구 한강대로 320 3층
전 화	02-754-1867, 0992
팩 스	02-753-1867
홈페이지	http://www.enodemedia.co.kr
전자우편	nodemedia@daum.net
기획편집	이희숙 최현희
표 지	이충환

ISBN 978-89-8458-312-2 93390

정가 15,000원